MADO

SIMONE ARESE

MADO

Jeune pucelle sans grâce,
et plutôt innocente
préposée aux P.T.T.
à Saint-Crépin-sur-Loue

BALLAND

A la p'tite Marie,
ma première lectrice

Si j'avais été jolie, j'aurais été putain. Je suis laide, je suis factrice. Ça me permet de passer tout de même une grande partie de ma vie sur le trottoir, et d'entrer chaque matin dans la vie des habitants de Saint-Crépin-sur-Loue. Je leur rends moins de services que la Germaine de Merey-les-Bains, mais j'ai moins d'ennemies. C'est que les femmes sont délicates : il leur faut leurs maris tous les soirs dans leurs lits ; et, après, elles se plaignent de « n'avoir le temps de rien », à cause des mêmes maris, de la progéniture qu'ils leur font et de leurs maisons à tenir. Je suppose une minute que la Sophie Tatin du Grand Hôtel ait laissé son homme courir le guilledou une fois par semaine, elle aurait moins d'enfants, elle trouverait le temps d'aller au cinéma (comme le cinéma est à Merey-les-Bains, ils pourraient même grouper leurs évasions respectives) ou de se promener. C'est que c'est beau, ici. La Loue d'abord, qui est comme un grand serpent coulant ses nœuds lisses entre les vagues des prés, et les collines, dorées comme des brioches là où la roche est à nu, sombres comme une église quand se dressent les armées de sapins. Avant de se fondre dans la nuit, tout ça devient d'un bleu doux, si le vent est bien tourné, on peut entendre jusqu'au saut des truites dans la rivière, et plus loin, le commérage de la chute d'eau. Elle pourrait se baigner là-bas avec les autres, la Sophie Tatin, si elle avait su s'organiser.

Mais, tout ce que je dis, c'est causer pour rien. C'est pas moi qui changerai les habitudes d'ici, je suis d'un poids trop léger (je parle du poids moral, évidemment, car pour ce qui est de l'autre, j'approche des quatre-vingts kilos). Je me demande si, le jour où je passerai sur le corbillard, les habitants diront autre chose que « Tiens, v'là Mado sur son vélo », petite phrase qui m'accueille chaque matin. Il est vrai que, sur le corbillard, y'aura pas mon vélo, qu'est pourtant mon seul compagnon. Je le rentre quotidiennement dans ma chambre, malgré l'escalier où je peine pour le hisser (ce n'est pas que la machine soit lourde, c'est que l'escalier a un virage délicat). Il est donc ce soir garé comme d'habitude contre la commode, une pédale sur le barreau de la chaise où je suis assise. Devant moi, il y a la table, avec mon camping-gaz, mon journal, et les chaussures neuves que je mettrai pour mon mariage : présentes devant mon assiette, elles me rappellent à chaque repas que je dois chercher sans cesse mon futur conjoint. Il faut que je m'entête, que je m'impose, car je ne peux espérer qu'un homme aura pour moi le coup de foudre que le Shah d'Iran a eu pour Farah Diba. Il est vrai que, maintenant, en exil, elle s'ennuie peut-être. Forcément : elle n'a plus ses petites habitudes. Elle paie chèrement d'avoir été impératrice. Cruelle destinée qu'il a dit Léon Zitrone. J'ai vu son livre dans le bibliobus qui s'arrête sur la place de la mairie tous les quinze jours. Il est bien gentil le bibliothécaire qui s'occupe de ça, et je vais toujours lui faire la conversation. Je ne crois pas qu'il soit marié : il porte pas d'alliance. Je l'ai inscrit dans ma liste des célibataires, que j'ai affichée sur mon mur. Je cocherai les noms au fur et à mesure des impossibilités confirmées.

NOM	Age (réel ou supposé)	Inconvénient(s)
Ange Perdrisset	32 ans	N'aime pas que je gare mon vélo contre sa vitrine.
Adrien Fouillard	40 ans	Impuissant (vérifié par la Maryse).
Sylvain Biquet	14 ans (paraît plus)	Voir la colonne « âge ».
Césaire Blanc	53 ans	Pas encore veuf (mais c'est pour bientôt).
Camille Ogio	67 ans (les paraît)	Voir la colonne « âge ».
Joseph Groud	43 ans	Est riche (moi pas).
Maurice Ramot	22 ans	Fait de la politique.
Le bibliothécaire	dans mes âges	N'est pas d'ici (Besançon ?).
Etienne Blanchet	28 ans	Est l'amant de Mme Plantu.

J'ai punaisé ce papier à côté du crucifix : on ne sait jamais. Je remets parfois en question les convictions des autres, jamais les miennes. Si on commence ce petit jeu-là, on ne s'arrête plus, et on finit pendu comme le Josué de la ferme des Boussicaud. Y'a qu'une chose à laquelle je renoncerai le jour de mon mariage : je quitterai mes chaussures de basket qui sont tellement commodes pour mes tournées. J'en ai deux paires : une du quarante pour l'été, une du quarante et un pour l'hiver (je mets de grosses chaussettes de laine dedans).

Dans ma liste, j'aurais pu ajouter M. Perduvent, puisqu'il est aussi célibataire, mais là, je renonce tout de suite : c'est un savant. Quand je vais chercher mon *France-Dimanche* à sa librairie, il me laisse toujours me servir seule, comme s'il craignait de se salir les mains, et il commente par « O tempora, o mores », ce qui est du latin paraît-il, mais sûrement pas un compliment si j'en juge par sa bouche pincée, son sifflement nasal et son haussement d'épaules. Un jour, pour lui faire plaisir, j'ai pris *Ici-Paris, Nous deux* et *Bonnes soirées,* il a failli s'étrangler quand je lui ai demandé si ça lui était agréable, et il a dit, en branlant de son dentier, « Abyssus abyssum invocat » ; il semblait encore plus courroucé. J'ai renoncé aux variantes dans mes achats de journaux.

D'ailleurs, je fais des économies pour mon mariage. Je possède, pour le moment, deux mille trois cents francs sur mon livret de caisse d'épargne, et une série de casseroles (à fleurs, c'est plus gai), parce qu'on m'a dit que les maris aiment manger ; mais je m'en sers pas, parce que le gaz, ça noircit le fond et ça fait attacher, je les garde pour quand on sera dans notre maison et que j'aurai une cuisinière électrique, pour des plats mijotés. « Ma femme, c'est un vrai cordon-bleu », qu'il dira mon mari : j'emprunte des livres de cuisine au bibliobus, et je recopie les recettes dans un classeur rouge, rangées par régions. J'ai des fois des problèmes pour les essais, je manque de matériel ou d'ingrédients, ou j'ai des scrupules. Par exemple, les crevettes à la normande, elles doivent être bonnes, cuites dans du cidre, mais faut les jeter vivantes dans le cidre bouillant, je ne pourrai jamais, pauvres petites bêtes. J'ai donc pas recopié celle-là. Et puis, les crevettes vivantes, faudrait déjà en trouver en plein Jura. Ici, la spécialité, c'est surtout la fondue. D'accord, à première vue, ça n'a pas l'air bien difficile de faire fondre du gruyère dans du vin blanc et du kirsch et d'y tremper chacun sa mouillette, mais faut avoir la main, pour que ça ne soit ni trop liquide ni trop collant. Moi, j'ai pas la main. Où qu'on en mange de la bonne, c'est à La Finette à Arbois. Et c'est beau là-bas, avec du bois sur tous les murs et une grande cave voûtée. Ils fabriquent presque tous les repas de noces de la région. Ils feront le mien aussi. On sera pas très nombreux, sauf si mon mari a une grande famille. Ça serait bien. Moi j'ai personne. J'inviterai mes collègues. Surtout que c'est elles qui m'ont fait connaître ce restaurant : pour mon trentième anniversaire, je ne savais pas où les inviter, c'est elles qui ont choisi. On y est allées dans la 2 CV de Fernande. Qu'est-ce qu'on a bien mangé et bien rigolé. Je suis plutôt une marrante dans la vie. Faut pas ennuyer les autres avec ses histoires. On a bu du vin d'Arbois, celui qu'on dit dans la publicité « plus qu'on en boit, plus qu'on va droit » ; et c'est vrai qu'on allait tellement droit au retour qu'on avait passé la bifurcation après Mou-

11

chard, et qu'on montait directement sur la Suisse. Faut dire qu'après le dessert on avait encore goûté à une autre spécialité : les raisins trempés dans le marc. Alors, évidemment... Ça m'a fait des frais, mais c'est pas tous les jours fête. Dans l'ensemble, je suis plutôt économe et organisée, mon mari pourra juger : je note tous mes gains et mes dépenses sur un petit carnet bleu. Le seul reproche qu'il pourrait peut-être me faire, c'est mon amour du jeu : je dépense cinq francs chaque dimanche pour mon tiercé ; mais ceci compense cela, comme on dit, c'est pas à fonds perdu, tous les hommes de ma liste pariant aussi (sauf le Sylvain Biquet qui est mineur, et le bibliothécaire qu'est pas d'ici) ; ça me fait donc une occasion de les rencontrer en dehors de mon service. C'est même au P.M.U. ce matin que j'ai eu l'idée, en les voyant tous alignés, de dresser cette liste. D'habitude, je suis distraite à ce moment-là car je décide mon jeu au dernier moment, mais aujourd'hui j'avais tout décidé pendant la messe : seize personnes sont arrivées en retard, M. le curé s'est trompé deux fois dans son prêche, trois personnes ont communié ; j'ai donc joué le 16, le 2 et le 3.

J'ai perdu, comme toujours. Il fallait jouer le 15, le 1, le 4 (il y a eu photo pour la troisième place), le rapport étant de mille deux cent quinze francs pour cinq francs. J'ai entendu ça à la radio dans le café du père Choupinet, où je prenais mon anisette de dix-neuf heures, comme chaque dimanche. Il y avait là le Sylvain Biquet qui s'acharnait sur le flipper, et Bérubo qui racontait la guerre de quarante à Choupinet qui ne l'écoutait pas. Faut dire que le village, à cette époque-là, était moitié en zone libre et moitié en zone occupée : d'un côté, Choupinet servait à boire aux Allemands, et, sur la rive en face, Bérubo les arrosait autrement. Il en reste comme une ligne de démarcation, au niveau du comptoir, quand Bérubo doit régler son ardoise. C'est pas tous les jours facile le temps de paix. Perduvent, d'ordinaire, leur négocie admirablement l'armistice, mais ce soir il était trop occupé à dire des vers à la nièce du patron, venue, comme chaque été, aider son oncle. C'est touristique Saint-Crépin. Elle s'habille de plus en plus court la serveuse d'une saison, et Perduvent lui dit des vers de plus en plus longs. Ça n'a pas l'air de lui déplaire à la Nicole cette littérature. Je la comprends car moi aussi, je suis sensible aux livres. Surtout quand je multiplie le coût d'un seul par mille huit cent vingt-quatre, soit le total des livres de la boutique de M. Perduvent. J'ai réussi à évaluer la chose très simplement : le magasin mesure cinq grands pas sur vingt-deux petits (j'ai cessé de mesurer en grands pas parce que M. Perduvent m'a demandé ce que j'avais au pied) ; en sachant qu'un grand pas équivaut à un mètre vingt et un petit à trente-quatre centimètres, et que la hauteur des rayonnages est de deux mètres (hauteur approximative car je n'ai pas trouvé de prétexte pour monter sur l'escabeau qui m'aurait permis de mesurer précisément), j'obtiens deux surfaces de six mètres sur deux mètres et de sept mètres quarante-huit sur deux mètres (les deux autres côtés du magasin sont occupés par la vitrine, la porte, la caisse, les journaux et les cartes postales); en partant d'une moyenne de trois centimètres en ce qui concerne le dos des livres, j'obtiens un total de mille huit cent vingt-quatre livres, soit douze mille sept cent soixante-huit francs. C'est là que je suis arrêtée dans ma progression mathématique, car j'ignore la marge bénéficiaire des libraires. Et je n'ai pas encore réussi à évaluer combien il y avait de cartes postales à soixante centimes et quatre-vingts centimes sur ses présentoirs. Mais, de toute façon, M. Perduvent est un beau parti. Quel dommage que je n'aie pas appris le latin plutôt que le français, et la versification plutôt que les mathématiques...

Cré nom! Avec tous mes calculs, j'ai perdu la notion du temps. Il est vingt heures trente, et le cinéma de Merey ouvre à vingt et une heures. Va falloir que je pédale dur, si je veux pas manquer le début du film.

Les premiers touristes et le député sont arrivés il y a trois jours. Deux couples et un célibataire au Grand Hôtel, quatre familles au terrain de camping, le député dans sa maison de la colline. Il n'est présent dans le département qui l'a élu que deux mois de l'année, je me demande comment il sait ce qui s'y passe. Mais ça doit quand même être quelqu'un de bien : ça fait trois fois qu'il est réélu. La dernière fois, il paraît qu'il craignait d'être en ballottage, alors il a offert un voyage au club du troisième âge — c'est surtout un village de vieux ici. Comme c'était gratuit, ils y sont tous allés, ils sont rentrés moulus de fatigue, mais bien contents d'avoir tellement roulé en autocar. Ils sont descendus jusque dans l'Ain voir le mémorial des héros de la résistance. Ça les a un peu changés de notre monument aux morts : c'est plus moderne qu'ils ont dit ; une espèce de grand profil taillé dans la pierre rose, avec une phrase d'un poète. Ils ont acheté des cartes postales pour se rappeler la phrase, et des thermomètres ou des sabliers avec des vues de l'endroit. Le député était bien content de son succès. Il va pouvoir se reposer tout l'été, comme n'importe quel vacancier arrivé le même jour.

Je me demande si je me lierai avec eux cette année. Ça dépendra si j'ai du courrier à leur porter, et s'ils participent à la kermesse. Moi j'ai un rôle à y jouer tous les ans : je tiens le stand de la pâtisserie l'après-midi sur le terrain de sport, et je suis ouvreuse à la soirée théâtrale. Mon rêve, ce serait d'être aussi actrice pour cette fête, mais M. le curé semble toujours un peu réticent à me confier une telle responsabilité : il me promet régulièrement de me garder un rôle « s'il en reste » et il n'en reste jamais. Pourtant, je suis convaincue que je serais capable d'émouvoir un public aussi bien que la Maryse Coindet ou la Nicole à Choupinet, qui sont toujours les vedettes du quinze août. Je me souviens, ce triomphe qu'elles ont eu l'année dernière. M. Perduvent, qui est généralement le metteur en scène, a même quitté sa place pour monter les embrasser sur l'estrade. La salle trépignait. C'est le Sylvain Biquet qui a tout gâché avec sa bande en criant : « Perduvent perd du temps ! Perduvent perd du temps ! » Le libraire est devenu tout rouge, il est redescendu dans la salle et il a giflé le Biquet, qui lui a envoyé son poing à la figure ; ça tournait à la bagarre générale, mais la Nicole a sauvé la situation en faisant ce qu'ils appellent une « crise de nerfs » ; on l'a entourée, tout le monde s'est réconcilié, si bien que j'ai été ridicule quand je suis revenue avec les gendarmes que M. le curé m'avait envoyée chercher. Il faut préciser que pour qu'ils viennent plus vite, j'avais dit que M. Perduvent était mort et que le Sylvain était à l'agonie.

Cette année, y'aura pas de drame, car M. le curé a décidé qu'il demanderait à un représentant de l'ordre de se tenir sur la scène, un peu en retrait, pour ne pas gêner les acteurs. Comme le garde champêtre et un pompier avaient déjà été prévus en coulisses les autres années, ça devrait suffire. Mais l'innovation vraiment intéressante, c'est que les touristes pourront participer à la fête en tant qu'acteurs et non plus seulement en tant que spectateurs, comme c'était auparavant. L'idée a été trouvée par M. le curé, et soumise au Comité des fêtes, qui se réunissait cet après-midi. J'en étais, puisque je finis toujours ma tournée sur les midi, midi et demi (je termine par Choupinet ou par le Grand Hôtel, selon que j'ai envie d'anisette ou de blanc cassis). Le comité, dont les membres avaient liberté de préciser le pourquoi de leur position au moment du vote à main levée, s'est prononcé comme suit (j'ai tout noté parce que M. le curé, en déplacement auprès de la mourante de Césaire Blanc, m'a chargée de lui faire un rapport) : M. le maire n'a pas pris position, disant qu'il se réservait le rôle d'arbitre entre les partis si on n'obtenait pas l'unanimité. Le premier adjoint — M. Perduvent — avait préparé un discours, mi en latin, mi en français, dont je n'ai rien retenu si ce n'est qu'il était d'accord. Tout comme Mlle Blanbouillon qui « espère trouver chez les touristes des recrues pour augmenter ses effectifs en vue d'un petit chant-canon ». Joseph Groud s'est prononcé contre parce qu'il est toujours contre tout, hormis prêter sa grange pour le spectacle (il a un pourcentage sur les entrées). Maurice Ramot a voté oui, ce qui a bien étonné tout le monde (je l'en ai félicité à la sortie de la réunion, mais discrètement : j'ai fait semblant de renouer le lacet de ma basket, pour lui donner le temps d'arriver à ma hauteur) ; le maire s'est donc rallié à la majorité, et puis finalement le Joseph quand on lui a dit qu'on augmenterait son pourcentage.

« Voilà, Monsieur l'Abbé, je crois que je vous ai tout dit.

— Très bien, Mado. Maintenant que la kermesse est, au moins matériellement sur pied...

— A propos, j'oubliais : M. le député a téléphoné au maire qu'il se charge de tous les frais de costumes, y'aura qu'à lui envoyer la note.

— Il ne reste plus qu'à distribuer les rôles. Mais

j'en ai déjà réservé deux, qui te feront plaisir, je crois. »

M'étonnerait que ça me fasse plaisir que Maurice Ramot joue une pièce d'amour avec la Maryse ou la Nicole. Ah ! non, c'est pas ça. Comment ? J'entends bien ? Un rôle pour moi ? C'est pas possible : vous me faites une blague ? Non, vraiment ? J'en ai les oreilles qui bourdonnent et le cœur qui tape. Et c'est qui l'autre personnage ? Maurice ? Le Biquet ? Ah ! bon : c'est vous Monsieur le Curé... Tant pis pour moi... enfin, c'est pas ce que je voulais dire... Je comprends bien, à votre embarras, que c'est vous ou rien du tout, car personne, hormis vous qui avez de la charité, me voudrait pour partenaire. Mais ils vont voir ce qu'ils vont voir, Monsieur le Curé, c'est moi qui vous le dis. On fera un triomphe et ils vont tous pleurer d'émotion. Faudra qu'on revienne saluer ! Ah ! bon : c'est pas une pièce triste. J'aurais aimé pourtant, un beau rôle déclamatoire, où que je serais morte de chagrin à la fin. *Fanny* par exemple, que j'ai vu à la télé chez Mlle Blanche, ça, ça serait bien pour moi. Marius ça serait Maurice — il a le physique pour et Perduvent, ça serait Panisse. On prendrait un mioche à Sophie Tatin pour faire le bébé. Pour César, Choupinet serait tout indiqué. Elle ne meurt pas à la fin Fanny, mais c'est un peu pareil : elle fait un mariage de raison. Vous dites ? la pièce est bien plus courte que ça ? *La paix chez soi* de Courteline ? Connais pas. Bon, ben d'accord, je vais aller lire ça chez moi et commencer à apprendre. Au revoir, Monsieur le Curé, et merci encore.

J'espère que c'est pas trop pieux cette affaire-là... Pourvu que ça ne soit pas un passage d'une vie de sainte. Avec un curé, on ne sait jamais. Quoiqu'il est bien moderne, le nôtre. Mais je ne me vois pas avec une auréole. D'abord y'aurait tout de suite des complications : comment qu'elle me tiendrait sur la tête, l'auréole ? En quoi elle serait faite ? Et puis, je me ressens pas de jouer les saintes : le rôle serait trop compliqué pour moi. A la rigueur sainte Austreberthe. Je l'aime bien celle-là. Je la raconterai à mes enfants. Je commencerai par « Il était une fois » parce que ça fait plus conte de fées. Il était une fois sainte Austreberthe, qu'était pas encore sainte, parce qu'on est saint quand on est mort, mais seulement mère supérieure d'un couvent. C'était il y a très longtemps, quand on n'avait pas encore inventé les machines à laver. Non seulement les pauvres moinesses devaient laver leurs frusques dans la rivière, mais fallait aussi qu'elles se tapent le linge des moines de l'abbaye voisine à la suite de je ne sais quel accord. Les hommes, ça sait pas faire la lessive, c'est pas nouveau. Mais les deux monastères étaient assez éloignés l'un de l'autre ; alors, pour transporter le linge, les religieuses avaient dressé un âne, et c'est lui qui faisait les voyages tout seul, avec ses paniers sur le dos. Tout allait bien, mais un jour, on voit pas l'âne revenir. On court dans le bois, on trouve les cabas renversés, les robes éparpillées, et l'âne bouffé par un loup. Parce qu'il y avait encore des loups dans les bois, c'était à la même époque que le petit chaperon rouge. Maintenant, c'est pas pareil : les grand-mères, elles habitent en ville, dans des maisons de retraite, où qu'elles ont de la galette seulement à l'Epiphanie, et où que le beurre, c'est souvent de la margarine. On sait bien, ici, ce qui se passe à l'hospice de Merey. Et les loups, les chasseurs les ont tous eus. Mon Austreberthe, en voyant le désastre, elle s'énerve un grand coup — c'est toujours des grands nerveux les saints — elle ramasse tout le bazar, le remet dans les couffins et appelle le loup. Mais d'une voix si forte que la pauvre bête en est toute chavirée — pensez : en pleine digestion — et qu'elle se laisse coller la charge sur le dos. « Loup, tu as mangé mon fidèle serviteur, tu le remplaceras » : ça, évidemment, c'est une belle réplique pour un rôle. Surtout en tapant de la sandale et en hochant de la cornette. Moi, j'aimais bien les cornettes, ça leur faisait comme des ailes pour s'envoler au Ciel. Mais c'est pas du tout ce genre de pièce qu'il a choisi, M. l'abbé. Sûrement parce que pour trouver un loup et un âne, ç'aurait été des problèmes pires que pour me faire tenir l'auréole. Il y a bien le chien de Philomène qui est croisé bizarre, mais il n'obéit qu'à son maître. Alors, pour le faire jouer... Et quand bien même, ça nous donnerait pas d'âne pour autant. Dans Courteline, l'héroïne, c'est une futile qui a rien dans la lanterne mais qui lanterne son mari pour qu'il lui achète une lanterne. Alors ils se chipotent, et ils se rabibochent. C'est comme dans la vie, quoi. Mme Plantu, elle veut toujours des robes neuves. D'abord, il dit non le mari, et puis après, il dit oui. J'aurai qu'à copier sur eux pour mon rôle. Ce qui me plaît bien, c'est qu'il y a un changement de

costume quand je fais semblant de quitter mon radin.
Et puis ça se passe au début du siècle, ça veut dire
que j'aurai une robe longue. C'est mon rêve, une robe
longue. J'en ai jamais porté. Sauf à ma première
communion, mais c'est pas pareil. Et puis à notre
première communion, les sœurs elles nous avaient
encore toutes habillées de la même façon. Alors,
finalement, ça faisait pas grande différence avec les
autres jours ; à part la couleur. D'habitude, c'était
rose ou bleu, suivant les semaines. La robe longue de
mon rôle, elle dissimulera bien mes grosses fesses.
Moi, je croirai qu'un homme sera amoureux de moi
quand il dira que je suis « un peu forte des hanches ».
Pour l'instant, y'a que le Biquet qui fait des allusions
à mon popotin, et c'est pour dire : « Quel cul que t'as
Mado ! On voit même plus la selle de ton vélo. »

« Moi, c'est Mado, des P.T.T. Et vous, c'est quoi,
votre petit nom ? »

Il a hésité à sourire ; il a souri. Il a hésité à
répondre ; il a répondu :

« Jean-Marie. »

Que c'est joli, Jean-Marie. C'est pas quelqu'un du
village qui porterait un prénom pareil (ça je lui ai pas
dit. Faut de la retenue tout de même. Pour la

première fois que je le voyais de face le célibataire du Grand Hôtel).

« Alors, comme ça, vous êtes en vacances, Monsieur Jean-Marie ?

— Oui.

— Et qu'est-ce que vous faites quand vous êtes pas en vacances ?

— J'écris.

— Vous... quoi ?

— J'écris des livres. »

J'ai marqué un temps de surprise (c'est pas tous les jours qu'on rencontre un original : ici, à part le Blaise qui s'entête à être maréchal-ferrant alors que le dernier percheron est mort il y a deux ans, je ne vois personne d'équivalent).

« Des livres qu'on trouve chez le libraire et dans le bibliobus ?

— Ça m'étonnerait. »

Il souriait encore, plus largement, d'un sourire aussi joli que son prénom.

« Et vous êtes catholique ?

— Pourquoi ? Il y a un rapport nécessaire ?

— Pas pour vos livres, mais pour ma liste.

— Une liste de quoi ?

— C'est un secret.

— Ah ! Excusez-moi. »

Il riait cette fois. J'ai vu ses dents. Elles sont comme celles des acteurs de cinéma. Je me demande toujours qu'est-ce que c'est leur dentifrice. Je change de marque à chaque fois mais je n'arrive jamais à cette blancheur.

Et puis il y a mes caries qui ont été soignées trop tard.

« Y'a pas de mal, Monsieur Jean-Marie. C'est moi qui m'excuse de vous aborder comme ça. Faut comprendre : les touristes, c'est la seule distraction ici.

— Je comprends.

— Ah ! Vous êtes bien le seul à me dire ça, avec M. Poindou, mais lui, c'est pas pareil.

— Pourquoi ?

— D'abord, il est du village. Ensuite c'est pas un homme, c'est un curé.

— Et vous croyez que les curés ne sont pas des hommes ? »

Là, il riait aux larmes. Personne ne m'avait dit que j'avais une conversation aussi spirituelle.

« Si, bien sûr, les curés sont aussi des hommes. Mais pas pour ma liste. »

Là-dessus, ne pouvant rester plus longtemps sans risquer de faire paraître louche ma curiosité (j'avais fini mon blanc-cassis), je suis rentrée chez moi, ma tournée achevée.

J'ai exceptionnellement renoncé à ma sieste pour aller déranger M. Perduvent dans la sienne. Après tout, il a qu'à fermer boutique après déjeuner et dormir dans son lit plutôt que de somnoler contre ses rayonnages.

« Je voudrais tous les livres de Jean-Marie Zerlini (j'avais vu le nom sur la lettre du matin). C'est pas la peine de me faire un paquet-cadeau (je précisai parce qu'en général ici, quand on achète un livre, c'est qu'on va voir quelqu'un à l'hôpital de Merey) : c'est pour moi ; mettez-les plutôt dans un grand carton que j'attacherai sur mon porte-bagages, je vous le rapporterai demain. Je peux vous payer par chèque ? »

Il devait vraiment dormir, car il m'a tout fait répéter (me demandant si c'était pas Marie-Josèphe Blanc qui était partie à l'hôpital). Et comme ça le mettait en état d'infériorité, il a pris sa revanche :

« Quels titres ? Quel éditeur ? Quelle collection ? Vous êtes bien certaine qu'ils sont parus ? Quelle année dites-vous ? Vous voulez broché ou relié ?

— Euh... ben... »

Il a haussé les épaules et entrepris d'examiner ses mille huit cent vingt-quatre livres. J'en ai profité pour compter ses cartes postales et jeter un œil dans la cuisine. C'était plus facile que d'habitude car, à cause de la chaleur, la porte du magasin était ouverte, et ça faisait un appel d'air avec les pièces de derrière. Alors, évidemment, les lamelles de plastique de couleurs, elles remuaient dans la porte de communication, et je pouvais z'yeuter. Il y avait pas mal de vaisselle sale sur l'évier et des miettes sur la table, qui devaient, au nombre, dater de plusieurs repas. Y'avait aussi, là où c'était le moins sale sur la toile cirée, un livre ouvert, une bouteille de kirsch à moitié pleine et un verre à liqueur vide. Messaline ronflait dans un vieux fauteuil qui lui semblait réservé, toutes moustaches frémissantes. De temps en temps, ses pattes étaient même agitées de tremblements nerveux, et elle découvrait ses babines. Sur le côté, trônait un vaisselier ancien, un peu comme celui de la salle à manger des religieuses, mais plus petit. La porte des cabinets était restée ouverte, et de là, venait un bruit de fuite d'eau.

A seize heures, nous avions fini nos vérifications, et, toujours en haussant les épaules, il m'a dit :

« Je n'ai pas ce que vous me demandez. Vous devez faire erreur.

— Ça m'étonnerait, Monsieur Perduvent, je connais très bien l'auteur en question » (le très bien est mal venu dans ma bouche : tout de même, je sentais que j'en rajoutais un peu).

Ça lui a fait un effet terrible que je connaisse un écrivain : il s'est complètement réveillé, il a ouvert les lèvres sur un son inarticulé, et comme il était juste en train de se nettoyer les dents avec la langue, son dentier s'est trouvé projeté hors de sa bouche pour tomber dans le tiroir-caisse.

C'est le Sylvain Biquet qui serait fier de moi.

Tout de même : il avait ébranlé ma confiance, et je me suis demandé si M. Jean-Marie s'était pas moqué de moi. Alors je suis allée me plaquer contre le grillage qui clôt le court de tennis du Grand Hôtel, et j'ai attendu que la partie soit finie. Quand il m'a vue (il ne pouvait pas faire autrement : je bouchais la porte avec ma silhouette), il m'a demandé si j'avais une nouvelle lettre pour lui. C'est pas croyable ces gens des villes, ça se figure qu'il y a autant de distributions et de levées que chez eux. Ici, je distribue le matin, et je relève les trois boîtes à cinq heures. Mais comme ça me ménageait des arrières de le laisser croire qu'il aurait peut-être des lettres l'après-midi, je lui ai rien révélé des impératifs de ma fonction :

« Non, je passais par hasard. Je reviens de chez le libraire où j'avais affaire, et auquel j'ai demandé par hasard s'il avait vos livres. Il m'a dit que non. Ils ne seraient pas épuisés par hasard, qu'il a ajouté. »

J'ai brutalement arrêté là mon discours pourtant bien préparé, car j'ai pris conscience qu'il devenait hasardeux de hasarder plus de hasards. Comme ça doit être agréable la vie avec lui : il rit toujours.

« J'écris sous un pseudonyme.

— Sous quoi ?

— Un nom inventé.

— Ah ! Vous êtes comme la grande Germaine de Merey-les-Bains, qui ne veut plus qu'on l'appelle Germaine depuis qu'elle fait le tapin. Quand les hommes vont au Ric' bar, faut qu'ils demandent Brigitta. J'aurais pas cru que faire des livres, c'était aussi réprouvé que de faire le trottoir. »

Nous avons donc parlé de Germaine et de Saint-Crépin, installés à la terrasse du Grand Hôtel. La Sophie Tatin en frisait l'apoplexie. Il voulait surtout savoir ce qu'il y avait à visiter dans la région, en dehors de Germaine. Il tombait bien, parce que moi, avec mon vélo, y'a pas un sentier que je ne connaisse pas, à cinquante kilomètres à la ronde. J'ai même pris le car, une fois, pour aller visiter les grottes de Baume-les-Messieurs, parce que j'en avais entendu parler par les gosses de l'école qui y étaient allés en voyage scolaire. Mais je les ai toujours pas vues, parce qu'elles sont en hauteur, et que pour y arriver, faut

26

monter par un escalier à claire-voie, au-dessus d'un torrent. Et moi, dans ces escaliers-là, de voir entre les marches, ça me donne le vertige. Je ne sais pas comment j'ai fait mon compte, mais j'ai buté, mon pied a dérapé, et j'ai perdu mon mocassin dans le torrent. C'était plus possible d'aller avec un pied nu dans ces grottes humides. Je suis descendue à cloche-pied, tout l'escalier métallique en tremblait, et j'ai attendu les autres dans la prairie d'en bas. C'est ce jour-là que je me suis fait la réflexion que des chaussures à lacets, ça serait plus pratique pour moi qui n'ai pas le pied aux difficultés. Le soir, je m'achetais mes baskets. L'après-midi du même jour, on était aussi allés au lac de Châlain faire du pédalo, et comme je croyais que ça avait un plancher ces machins-là, j'ai posé mon sac à main sans regarder, et il s'est noyé à pic. Il me restait pas beaucoup de sous dedans — j'avais déjà acheté les souvenirs du voyage et heureusement ils étaient restés dans le car — mais j'avais la médaille de la Vierge, que la mère supérieure avait fait bénir par le pape quand elle était allée à Rome ; je la regrette bien. Maintenant, je ne me fie plus aux sacs, qui vous abandonnent traîtreusement : je garde tout dans mes poches. Et je ne fais plus d'excursions organisées. Mais je tiens pas à décourager les autres pour autant. C'est comme ça que j'ai énuméré toutes les cascades de la région à M. Jean-Marie, avec tous les numéros des départementales et des vicinales qui y accèdent. Sûr qu'avec toutes ces indications, il pourrait écrire un guide de la région. Ça s'appellerait « les cascades de la préposée » et il y aurait ma photo en première page et la sienne en dernière. Non, le contraire : lui d'abord, avec ses belles dents, et moi après, avec mon vélo. J'en profite pour lui demander à quoi ça ressemble ce qu'il écrit. Si c'est des histoires d'amour. Et pour lui montrer que y'a pas que les torrents qui m'intéressent, j'lui demande s'il connaît Courteline. Il devient moins aimable et se montre beaucoup moins précis que moi sur les cascades ; pourtant faudrait bien un guide aussi pour s'y retrouver dans ses chemins de traverse : il n'y a pas d'histoire, il n'y a pas de début ni de fin, qu'il me dit « c'est une recherche de forme, mais il n'y a pas de fond ». Je lui réponds que c'est comme un pédalo, ses bouquins, mais il comprend pas bien ce que je veux dire. J'ajoute que ça ne fait rien, que l'essentiel est que ça le mette en forme sans trop rechercher. Comme il pige de moins en moins, je n'insiste pas et je reparle de ma copine Germaine, qui a été à l'école plus longtemps que moi et qui saurait peut-être mieux expliquer. Mais le charme semble rompu, je sais pas pourquoi. Alors, comme j'ai plus de cascades à lui citer, et que j'ose plus lui parler de son métier, je lui cause du mien, et de la poste qui est bien située, près du pont et des cinq commerces, et des travaux de peinture qu'on y a fait au printemps, et du receveur qui va changer cette semaine, et de mes collègues, et de mon vélo, et de mon sac à courrier qu'on m'a remplacé l'an dernier parce que le précédent n'était plus réparable, et du prix des timbres qui a encore augmenté il y a deux mois, que ça devient un luxe d'envoyer des nouvelles. Mais ça ne l'intéresse pas non plus. Alors je prends congé en disant qu'on m'attend. Faut toujours se retirer à temps, pas lasser son monde.

Aujourd'hui, on fête le départ en retraite de M. Plantu. En grand secret, mes collègues et moi avions fait une collecte destinée à un dîner commun et un cadeau pour notre chef. Pour les préparatifs, nous avions demandé conseil à Mme Plantu, qui avait juré le silence mercredi matin et fait jurer le silence à son mari et à sa fille le mercredi soir. La petite l'a répété à sa voisine de classe et à sa voisine de catéchisme. Mlle Blanbouillon et M. l'abbé étaient donc au courant et la troupe théâtrale par conséquent. De là, ça a volé de bouche à oreille dans tout le village, et cinquante personnes avaient besoin de téléphoner à l'heure de la fermeture des guichets. Mme Plantu était dans la file d'attente, avec sa fille, sa mise en plis fraîche et sa robe neuve. M. Plantu comptait les timbres et s'obstinait à ne rien voir et ne rien entendre, et pourtant, le chien de la « boucherie de la poste » hurlait à la mort en voyant cette foule, à laquelle Maurice Ramot distribuait des tracts. C'est vraiment un très bon comédien, dommage qu'il ne veuille pas un rôle pour la kermesse ; il a dit avec son

calme habituel : « Il est dix-huit heures, on ferme »,
il a pris son chapeau, il s'est dirigé vers la porte que
Mlle Phrasie barrait de sa silhouette en croix : « Il est
trop tôt pour sortir, Monsieur Plantu », qu'elle disait
en hennissant. M. Plantu a fait semblant de croire
qu'il s'agissait d'une prise d'otages — là il en
remettait peut-être un peu, faut jamais forcer son
talent — mais sa femme et sa fille lui ont coupé ses
effets en sortant de la cabine téléphonique où elles
s'étaient accroupies.

« Mon Dieu : quelle surprise ! Et moi qui ne me
doutais de rien !... C'est pour moi, ce paquet ?... Ah !
bon : on dîne ici ? Mais vous croyez que c'est
réglementaire ? Enfin... puisque je pars en
retraite... »

En effet, pour que ce soit plus sympathique, nous
dînons dans le bureau de poste, côté clients. Je suis à
la droite de Mme Plantu, face à Mlle Phrasie, qui se
retrouve à la gauche de Fernande, contrairement à
leur situation au guichet ; la petite Plantu est au bout
de la table, face à son père qui préside, assis sur la pile
de bottins, à l'intérieur de la cabine téléphonique
qu'on a dû laisser ouverte, par manque de place.
Fernande a repêché le seau où les bouteilles atten-
daient depuis le matin, au frais dans la Loue que la
poste surplombe, et Mme Plantu a sorti de son cabas
les commandes faites à la charcuterie et à la pâtisserie : du pâté de lapin, du saucisson sec, du saucisson
à l'ail, de la galantine truffée, de la galantine non
truffée, des rillettes (le tout sur un plat en inox,
décoré de feuilles de salade, de cornichons en éven-

tail, et d'œufs coupés en rondelles), un moka au chocolat orné de roses en pâte d'amande et d'une inscription à la crème de café « quarante ans de service ».

Le gâteau, ça devait être le sommet de la fête, puisqu'on avait même prévu du cerdon avec, qui est comme du champagne sauf que ça vient pas de la Champagne mais du haut Jura, et que c'est plus joli parce que c'est rose. Ça a été la chute. Le pâtissier avait dû avoir beaucoup de commandes, ce jour-là, ou alors il était fatigué, ou contrarié parce que le temps d'orage avait fait tourner ses éclairs, ou parce que la patronne avait mal noté sur son cahier, j'en sais rien, toujours est-il qu'il y avait une faute dans l'inscription. On avait laissé M. Plantu ouvrir le carton pour qu'il ait le plaisir de la découverte ; il était déjà rose comme les fleurs en pâte d'amande tant il avait pris plaisir à la soirée — il avait même fait un discours d'où il ressortait qu'il était bien content mais qu'il n'avait plus toute sa tête — et puis, là, en soulevant le couvercle, il est devenu blême, son sourire s'est figé, il s'est mis à pleurer. Nous, on comprenait pas, on s'est penché sur la boîte ; il y avait écrit : « 40 ans de sévices ». C'était beau pourtant, avec des pleins et des déliés comme on faisait à l'école, avant, et des roses qui dessinaient tellement d'entrelacs qu'on aurait dit du liseron, et des pastilles en chocolat tout sur le tour, et les côtés aussi brillants que si le gâteau avait pris un coup de gelée. Mais notre chef, il regardait pas tout ça, il voyait que la lettre qui manquait, l'r qui lui changeait tout l'air de la fête. On lui a expliqué, on l'a consolé comme on a pu, même que Mme Plantu lui a dit qu'elle ne le tromperait plus, que ça n'avait rien à voir et que le moment était mal choisi pour lui dire ça, vu qu'il était justement le seul à pas savoir qu'il était cocu. Il a pleuré encore plus fort, la petite s'est mise de la partie pour les larmes, et ils ont fichu le camp tous les trois s'expliquer chez eux. Bien sûr, nous, on a eu plus de gâteau, mais il a pas bien passé, et maintenant je peux pas dormir parce que tout ça m'est resté sur l'estomac. J'ai pourtant pris une tisane mais elle n'a pas fait effet : dès que je m'allonge, j'ai envie de vomir. Et j'ai mal à ma molaire à cause des roses en sucre. Qu'est-ce que je vais faire ? J'oserai jamais retourner chez le dentiste : la dernière fois il m'a fait si mal, avec son air de s'apercevoir de rien — et pourtant je grognais (comme je pouvais : la bouche pleine, c'est pas facile), et je serrais fort les bras du fauteuil — que j'ai refermé la bouche d'un coup quand il a mis la main. Y'avait la marque de mes canines sur deux doigts, il n'était pas content du tout. Il m'a dit que la séance était terminée. Quand j'étais petite et que je souffrais, j'offrais mes souffrances au Bon Dieu, comme les religieuses nous avaient appris ; ça faisait effet, on était presque content d'avoir mal, mais maintenant, le remède est éventé, je sais pas pourquoi. Peut-être parce que j'ai grandi. Ou parce que je ne crois plus que d'avoir mal, ça puisse faire plaisir à Jésus s'il est si gentil que ça. Tiens : j'ai oublié de faire ma prière, et pourtant ce soir, faudrait bien que je dise deux mots des Plantu à Notre-Seigneur. Me font rire moi, les sœurs avec leur insistance à faire canoniser Charles Martel. C'était leur toquade. Ça a même tourné à l'obsession quand y'a eu la guerre d'Algérie et que le jardinier est allé mourir là-bas : la mère supérieure est partie en parler au pape. Au moins la béatification qu'elle disait. Parce que Charles Martel il aurait repoussé les Arabes à Poitiers, et que s'il n'avait pas fait ça, la France serait devenue une colonie arabe, et qu'on aurait tous dû se convertir à Mahomet. Alors, pour remercier Charles Martel, fallait que le Saint-Père lui donne une auréole. Mais moi je me dis des fois qu'être arabe, ça serait peut-être pas si mal, parce qu'il paraît que chez eux, ils ont droit à quatre femmes, c'est Germaine qui me l'a dit : elle a des clients du chantier ; alors si M. Plantu, en ce moment, il avait quatre femmes, il aurait peut-être pas tant pleuré que celle-là le trompe. Et moi j'aurais peut-être des chances de faire la quatrième, comme à la belote. Pas avec les Plantu, c'est pas mon genre. Mais avec Germaine par exemple ; je suis sûre qu'elle accepterait de partager. Ça serait pas vraiment partager, on n'aurait pas les mêmes rôles : elle, elle serait là pour le plaisir, et moi pour les corvées, pas forcément des corvées d'ailleurs parce que faire la popote et le ménage pour ceux qu'on aime, ça ne doit pas coûter. On vivrait bien tous les trois. Mais Germaine elle veut pas se marier. Elle dit qu'à trop goûter aux hommes, elle est dégoûtée. Ben oui, mais moi, c'est pas pareil : je peux pas avoir l'appétit coupé alors que je me suis pas encore mise à table. Ce soir, par contre, j'ai trop mangé. Y'a qu'à la salade que j'ai pas touché, mais la salade, j'en suis saturée : j'en mange tous les jours. C'est pas que j'aime ça vraiment, mais c'est la fierté de M. et Mme Le Gal, mes voisins, la salade. Surtout le plan qu'ils ont rapporté de Bretagne, leur pays natal : ça s'appelle de la feuille de chêne, parce que ça a la même forme, mais c'est bien meilleur que les vraies feuilles des vrais chênes. Là-bas, ça venait bien parce qu'ils étaient au bord de la mer, dans le golfe Strim, mais ici, ils ont eu du mal à l'adapter : ça a mis deux ans à venir. Depuis, ils ont les plus belles salades de Saint-Crépin, on les voit de la route. Ils m'en donnent chaque fois que je passe chez eux. Et comme je passe tous les jours parce qu'ils ont un fils célibataire dans mes âges... Vous me direz : chasser plusieurs lièvres à la fois... D'accord. Mais quand on est mauvais chasseur comme moi, que c'est comme qui dirait que j'ai un lance-pierres quand les autres ils ont des fusils, deux précautions valent mieux qu'une. Je ne l'ai pas porté sur ma liste celui-là, rapport à la proximité : suffirait qu'une fois Mme Le Gal me porte la salade à domicile et qu'elle voie son fils dans ma liste, c'en serait fini de nos bons rapports : elle me croirait intéressée. Faut toujours être bien avec ses voisins. M. Plantu il nous a pas dit si son remplaçant était célibataire. Il aurait mieux fait de nous parler de lui au lieu d'évoquer un facteur qui n'est même pas d'ici. Un qu'avait ramassé des cailloux dans ses tournées et qu'avait construit un palais avec. Il était si euphorique M. Plantu — on en était encore qu'aux fromages — qu'il parlait de nous emmener toutes en voiture voir ce palais-là, un dimanche.

34

Mais c'est bien plus bas que Lyon, qu'il a dit, ça me semble bien du chemin pour un seul jour. A l'heure qu'il est, il doit plus être question de voyage chez les Plantu. Moi, je ne pourrais pas ramasser des cailloux dans mes tournées, même si je prenais tous les jours mes sacoches, que je garde que le dimanche pour la promenade, parce qu'y'a plus de cailloux avec toutes ces routes goudronnées. Et puis j'ai pas de terrain pour construire. Parce que c'est pas le tout d'avoir des idées et des cailloux, faut aussi l'emplacement. Pour un palais, faut bien plus grand que le carré de salades des Le Gal... Ma prière, cré nom, j'y vais, oui ou non ?

... Notre Père, qui êtes aux cieux, faites que M. Plantu n'ait plus de chagrin, et sa fille non plus, parce que les chagrins de petite fille, ça fait très mal. Faites que M. Plantu réfléchisse, à propos des histoires de cailloux qu'il a racontées, et qu'il se dise qu'il faut pas lancer la première pierre à la femme adultère, parce que M.me Plantu, c'est pas un mauvais cheval, même si elle fait des salades avec Etienne Blanchet. Mon Dieu, vous qui rendez la justice comme saint Louis sous les feuilles du chêne, soyez juste mais pas trop sévère avec la pécheresse. Notre route n'est pas toujours semée de roses en sucre, faut pas se mettre martel en tête, comme les sœurs ; je vous promets que je vous en voudrai pas si le nouveau receveur n'est pas célibataire. Mais ça serait mieux quand même qu'il le soit, et qu'il préfère les jeunes filles laides, à cause de mon lance-pierres. Oh, là, là : qu'est-ce que j'ai sommeil... tout se brouille dans ma tête. C'est la tisane par-dessus le cerdon. Bonsoir, mon Dieu. Dormez bien. Je veille sur vous... Non, c'est le contraire... Veillez sur moi... Restez au poste... A la poste...

Je ne suis jamais rentrée chez le député : la boîte aux lettres est au bout de son allée, accrochée à la grille d'entrée d'où on distingue pas grand-chose hormis la masse blanche de la maison et la tache bleue de la piscine. Forcément qu'il a une piscine : il peut pas venir se baigner avec nous dans la Loue, il serait toujours ennuyé par des gens qui auraient des faveurs à lui demander ou des récriminations à lui faire. Et puis, on a beau dire, le costume-cravate, ça fait digne, sérieux ; alors qu'un député en slip de bain, ça ne serait plus un député : on ne pourrait plus s'adresser qu'à sa tête, là où se décide le sort de la France, on serait rien qu'occupé à voir s'il a du poil sur la poitrine et du relief dans la culotte. A cette heure-ci il doit pas être dans sa piscine de toute façon : c'est habillé qu'il me signera mon récépissé. Paquet recommandé. A remettre en mains propres. Sûr qu'elles seront propres ses mains, et même bien soignées : le travail de bureau ça ne vous les esquinte pas comme la menuiserie ou la maçonnerie. Pauvre

Anselme : il y a laissé un doigt. Heureusement, c'est pas l'annulaire gauche, parce qu'une alliance sur un moignon, ça serait pas terrible comme effet. Je suis sûre même que ça porterait malheur, comme les alliances qui cassent les jours de mariage. Je me rappelle une histoire que nous racontaient les sœurs pour qu'on n'aille jamais se cacher à la cave, surtout qu'il y en a qui faisaient des choses défendues dans le noir... Moi, je volais seulement des pommes. Je m'en confessais le samedi, mais c'était plus fort que moi : je recommençais le lundi. Donc, c'était un jour de mariage, dans un château, y'a cent ou deux cents ans. Toute la noce jouait à cache-cache — on a pas idée déjà : au lieu de rester tranquillement à table — et la mariée, qu'avait donc fendu son alliance en voulant casser des amandes avec ses doigts — je vous demande un peu : quand on a un homme pour vous faire ça — elle était essoufflée de tant courir avec ses falbalas, elle s'appuie contre un mur, dans le sous-sol du château, et pof : v'là le mur qui bascule. Ma nigaude elle s'avance dans la pièce soudain ouverte, que personne connaissait, et vlan : v'là le mur qui se referme sur elle. Elle n'a jamais pu sortir. On l'a retrouvée un siècle après, alors qu'on faisait des travaux dans le château. C'était plus qu'un petit tas d'os, avec une couronne de fleurs d'oranger.

Qu'est-ce qui peut bien y avoir dans ce paquet ? Faut que je fasse gaffe : peut-être que ça casse. Et si c'était une bombe à retardement ? On voit tant de choses aujourd'hui. C'est devenu tellement dangereux de faire de la politique. Aucun tic-tac à l'inté-

rieur en tout cas. Mais peut-être que ça veut rien
dire : avec le progrès, ils font sûrement des bombes
silencieuses maintenant. En tout cas, Mado, ma fille,
traîne pas en route, que ça te pète pas dans les mains.
La causette avec Philomène, tu te la feras au retour.
Tant pis pour le petit creux à l'estomac : la tomme de
chèvre, elle attendra un peu. Parce que si le paquet
explose avant que t'arrives, t'auras pas le même
enterrement que le destinataire : pas de ministre ni
de sonnerie aux morts. Peut-être seulement le
député, ému de l'avoir échappé belle. Et alors, il me
remettrait une médaille posthume, que ça me ferait
une belle jambe au fond de ma caisse, sous le drapeau
qu'on aurait décroché de la façade de la mairie, et il
ferait un discours qui finirait par « morte pour la
France », que c'est jamais vrai qu'on meurt pour la
France, même à la guerre : seulement qu'on n'a pas
voulu que ceux d'en face viennent manger dans nos
assiettes et dormir dans nos lits, ou qu'on n'a pas eu
de bol, ou qu'on avait encore plus peur de déserter
que d'aller à la boucherie, parce que c'est plus
difficile de faire marche arrière tout seul que d'aller
de l'avant avec les copains ; mais de toute façon, c'est
jamais pour la dame en chemise de nuit qui est sur les
monuments aux morts. Suffit de regarder mon cas :
si je casse-croûtais en route et que la bombe me
découpe en confettis, je serais morte pour le fromage
de chèvre, pas pour la France.

Cré nom : la Mariette elle a un bien beau tablier à
bavette, tout en broderie anglaise pour accueillir les
visiteurs et les faire attendre dans la cuisine. J'ai fini

le trajet au galop, pas tant pour porter le paquet plus vite, mais je ne m'étais pas méfiée : j'suis entrée dans le parc comme dans un moulin, je savais pas qu'il y avait un grand chien de garde. Heureusement que la maison n'était pas fermée à clef, parce que j'y aurais laissé un bout de viande : je me suis engouffrée d'un coup sans frapper et en claquant la porte sur le nez de la bête, que la Mariette elle était soufflée que j'ai pas sonné. Pour me remettre, elle m'a offert un coup de café réchauffé, de celui qui a sûrement servi au déjeuner du député, et que le reste c'est pour le personnel, parce que les gens riches ça boit que du café frais fait : quand on a les moyens, c'est quand même bien meilleur. Il est tassé en tout cas, celui-là ; avec ça, il doit les expédier vite fait ses dossiers de l'Assemblée. Quoiqu'il soit en vacances.

Ah ! bon : il ne vient pas à la cuisine, c'est moi qui vais au salon ? Va pour le salon. Ça m'arrange : j'en verrai plus de la belle maison.

« Mais je veux pas vous salir votre marbre, Monsieur le Député, je vais enlever mes baskets.

— Mais non, je vous en prie, Madame, entrez.

— Mademoiselle.

— Ah ! Pardon. Mariette m'a dit que j'avais quelque chose à signer ? Là ?... Voilà. Et merci bien, mon petit. Vous direz à Mariette de vous donner dix francs à l'office : je n'ai pas de monnaie sur moi.

— C'est que... Monsieur le Député... Mariette elle va pas à la messe.

— Comment ? Je ne comprends pas... Assurez-vous aussi qu'elle a fait attacher Charron, on m'a dit que vous aviez eu des ennuis avec lui ? Il ne sait pas distinguer les livreurs des maraudeurs. Et il ne supporte pas les casquettes : il a mordu un amiral de mes amis, et il ne s'en est pas remis car il est tombé sur sa jambe de bois. »

Ç'a été bref, mais j'ai quand même eu le temps de compter que rien que dans ce salon, il y avait trois tableaux, deux tapis, et cinq armes anciennes sur le seul mur que n'est pas garni de rayons de bibliothèques grillagées. C'est-y possible qu'il ait lu tout ça ? Y'en a sûrement pour le décor. Et peut-être les livres de classe des gosses ? Ça en représente de l'argent en tout cas. Pas étonnant qu'ils se battent tous pour être élus. Mais c'est pas tout le monde qui peut : faut savoir causer. Et pas seulement devant les copains : devant ceux qui ne sont pas les copains ; et dans la télé aussi. C'est ça qui doit être le plus difficile : parler sans voir l'autre. C'est comme le téléphone, mais en pire. Moi, je bafouillerais sûrement. Déjà que quand je téléphone à Germaine, je transpire... Et, encore, au bout du fil, il y'en a jamais qu'un, ou deux avec l'écouteur, mais devant leurs postes, ils sont des millions. Qu'est-ce que t'en penses, Philomène ? Ah ! ben oui : t'en penses rien : t'as pas la télé au milieu de tes chèvres. De toute façon, il pense jamais rien sur rien, Philomène, y'a pas moyen de s'élever un peu dans la conversation avec lui. Mais il fait de la tomme, que personne a son pareil pour la réussir. Et il est toujours de bonne humeur. Ça doit lui plaire, sa colline. Pourtant il y voit guère de monde. Il a Médor, son chien croisé de loup, et

Blanchette, Ziquette, Lili, Ramona et toutes les autres dont je sais plus les noms. Quatorze en tout. Ma préférée c'est la Blanchette. La mère est morte à la naissance et Philomène l'a élevée au biberon, alors elle le quitte pas d'un pas. Elle se laisse caresser et met son museau dans les poches pour voir si y'a pas des quignons de pain ou des pommes qui y traînent. Elle est aussi gourmande que moi qu'il dit Philomène, mais ça lui profite moins. Il m'a dit aussi que la prochaine qui naîtra — le bouc Jacquot a droit à des fantaisies, mais, attention, pas tout le temps : il a une chambre à part dans la bergerie — il l'appellera Mado, et que je serai comme la marraine. Ça me fait drôlement plaisir son idée. J'apporterai des dragées. C'est quand même mieux que d'être marraine d'un bateau, comme la dame du député. Son filleul, elle lui a cassé une fois une bouteille de champagne dessus — qu'entre parenthèses que c'est bien du gâchis, qu'on pourrait se contenter de mousseux — et puis elle ne l'a plus revu, tu parles d'une satisfaction. Moi, ma cabrette, je pourrai la visiter tous les jours. J'y apporterai des friandises, elle me connaîtra bien. Evidemment, être marraine d'un bébé humain, ça serait encore mieux, mais ça, personne me le proposera jamais. Moi j'ai une marraine, mais je m'en rappelle pas bien. Elle est venue me voir deux ou trois fois quand j'étais petite, chez les sœurs, mais quand j'ai grandi, je l'ai plus revue. J'écris toujours au jour de l'an, et elle m'envoie un petit chèque. J'aimerais mieux qu'elle m'invite chez elle, mais c'est sûrement pas possible, parce qu'on est sept à être ses filleules, chez les sœurs. Elle disait qu'on lui achetait son paradis. Heureusement, son mari est chirurgien, parce que à raison de sept chèques par an pendant tant d'années, ça lui fait cher la place. Elle sera sûrement au premier rang, et moi qui offre juste des cierges aux bons saints, et seulement de temps en temps, je serai au poulailler. Son chèque je le dépense tout en croquettes au praliné ; j'en mange une chaque soir dans mon lit, jusqu'à ce que la boîte soit vide, et je pense à elle, comme ça, au chaud dans mes draps, le chocolat dans la bouche. Pour que ça dure plus, je le laisse fondre. Je ne crois pas qu'elle ait connu ma mère, car j'ai aucun lien de parenté avec elle. Mais ça me fait quelqu'un à qui penser, en plus de Germaine. Et maintenant, y aura la chèvre. Ça commence à faire du monde. Il y a aussi la petite chienne de Germaine, qui est bien ma copine. C'est une bête de race, mais je ne sais pas laquelle : elle est toute petite, avec des poils si longs qu'on ne distinguerait pas la queue de la tête si Germaine ne lui mettait pas un nœud dans les cheveux pour qu'elle y voie clair. Elle s'appelle Carlotta. Et pour le commerce de Germaine, c'est souvent elle qui décide : les clients auxquels la chienne fait fête, c'est tout bon, ceux après lesquels elle grogne, ils sont refusés. Ça plaît pas toujours. Mais, comme c'est Germaine la patronne, y'a pas à insister. Un soir, un furieux a voulu se venger en filant une trempe à Germaine, mal lui en a pris, parce que Germaine, elle a appris le karaté. C'est utile dans son commerce qu'elle dit. Moi je sais seulement nager et faire du vélo. Faudrait que j'essaie autre chose :

paraît que le sport, ça fait maigrir. Mais je ne sais pas quoi apprendre. Ni où : y'a qu'un terrain de pétanque ici, et la tour des pompiers. Le terrain de tennis est réservé aux clients du Grand Hôtel. Même les gosses des Tatin n'ont pas le droit d'y aller : paraît que ça coûte trop cher à entretenir ce machin-là pour que les gamins aillent l'user.

L'argent, ça fait pas le bonheur qu'il a conclu Philomène, après mes descriptions de la maison du député. Mais moi, je trouve que ça aide bien quand même. D'abord, y'a tout de suite plus de monde autour de vous. Suffit de regarder la piscine du député, il y en avait presque autant que de chèvres dans la colline de Philomène. Même que le député semblait pressé de les rejoindre : il regardait toujours de leur côté, par la porte-fenêtre du salon. Faut dire qu'elles étaient belles et bien dorées dans leurs tout petits maillots les invitées de son fils. Parce que c'était sûrement les invitées de son fils, vu qu'elles paraissaient jeunes. J'ai reconnu personne d'ici. A part Mariette, mais Mariette, c'était pas dans la piscine qu'elle nageait : elle était plutôt noyée dans les marmites. Ça sentait bon : je serais bien restée à lécher les fonds des gamelles. Je me suis tellement vengée sur la tomme de Philomène, que j'en ai été gênée de lui en avoir tant mangé. Alors, pour compenser, je lui ai donné une carte postale qu'était destinée aux Brousse. Il n'a jamais de courrier Philomène. Alors, des fois, je lui donne des cartes qu'il accroche dans sa bergerie. Je fais seulement attention qu'il y ait rien d'important écrit derrière.

Mais c'est bien rare que les gens écrivent des choses importantes pendant leurs vacances. Ils disent tous pareil, qu'il fait beau et qu'ils s'amusent bien, même si des fois il pleut et qu'ils s'emmerdent parce qu'ils ont plus leurs petites habitudes. Je choisis des cartes qui viennent de loin, de préférence, ça divertit plus Philomène, et on s'explique mieux qu'elles aient pu se perdre en route. Je vois pas pourquoi ce serait toujours les mêmes qui ont les nouvelles.

Quoique Philomène, c'est pas pour les nouvelles qu'il aime les cartes — il ne lit pas bien vu qu'il n'a pas été longtemps à l'école — c'est pour la photo. Il préfère les villes ou les monuments, ça le change de sa verdure. Justement, aujourd'hui, j'avais : « les arènes de Nîmes vues d'avion ». C'est drôlement grand. Ça l'a réjoui. « Ça en contiendrait des chèvres cette affaire-là » qu'il a dit. Tiens, au fait : on n'a rien entendu venant de chez le député, pendant notre causette. Ça devait pas être une bombe finalement. C'était peut-être un petit cadeau du président de la République. Ils doivent bien s'écrire de temps en temps. Et s'inviter. Leurs dames doivent échanger des recettes. Je me demande si il y a une piscine à l'Elysée. Et combien qu'on y emploie de Mariette.

Saint-Crépin-sur-Loue

Le 20 juillet

Cher Monsieur le Président,

J'ai appris, par la télévision de Mlle Blanche (une bien gentille voisine), qu'il vous arrivait, à vous et à votre dame, d'aller parfois manger chez des « Français moyens ». C'est pourquoi, bien que je ne sois sûrement pas une Française moyenne (je pèse soixante-dix-neuf kilos cinq cents), je vous écris, pour vous demander, à vous et à votre dame, de venir à Saint-Crépin-sur-Loue le 15 août.

Pas pour manger chez moi (j'ai qu'un camping-gaz), ni chez quelqu'un d'autre, mais pour présider — excusez le jeu de mots — la soirée théâtrale qui clôture la kermesse annuelle de M. le curé. On vous réservera les fauteuils du maire et de la mairesse.

Ça commence à vingt et une heures. Si vous voulez dîner avant, il y a deux possibilités : le Grand Hôtel ou Choupinet. Je vous conseille plutôt le Grand Hôtel, c'est un peu plus cher, mais c'est plus copieux. Il y a aussi plus raffiné pour des gens habitués comme vous à la grande vie : « Le Grand Sultan » ; mais c'est à Merey à douze kilomètres de Saint-Crépin.

Pour arriver à Saint-Crépin, il faut quitter la nationale qui va vers la Suisse, à trois kilomètres de Mouchard ; puis prendre une route à gauche, avec une pancarte : « Saint-Crépin-sur-Loue : 0 km 800 ». La soirée a lieu derrière le cimetière.

Sûr que si vous venez, tout le village votera pour vous aux prochaines élections. Peut-être même que Maurice Ramot, qui est communiste, ne fera plus jamais grève.

Dans l'attente de votre venue, je vous envoie toute mon affection d'électrice et de fonctionnaire.

MADO

P.S. Ci-joint deux entrées gratuites. Si vous en voulez d'autres pour vos enfants, il faudra vous adresser à M. le curé.

2° P.S. Si vous voulez me reconnaître le 15 août, ce sera facile : je joue le rôle de Valentine dans La Paix chez soi. *Peut-être d'ailleurs que vous m'avez déjà vue dans le journal : j'ai été photographiée dans* La petite gazette du Jura *à l'occasion du changement de receveur de la poste de Saint-Crépin. Je suis la troisième à partir de la gauche.*

Et après moi, sur la photo, il y a le nouveau receveur. Il est beau, mais beau... un mélange de Johnny Hallyday et de Ringo (j'ai piqué les posters super-géants des *Salut les copains* de la salle d'attente du dentiste, après les soins. Ah ! Il m'a eue cette fois : il m'avait mis un appareil pour me tenir la bouche ouverte). L'ennui, c'est que je suis pas du tout un mélange de Sylvie Vartan et de Sheila. Je suis même carrément brune. Il faut absolument que je sois consacrée vedette le 15 août. La grange du Joseph, c'est mon Olympia à moi. Le receveur sera au premier rang, avec toutes les personnalités de Saint-Crépin et de l'Elysée. Peut-être que le président, s'il

46

est en forme, nous jouera un air d'accordéon à l'entracte. Quoique, à l'entracte, ce serait mal choisi, parce que c'est plutôt fait pour la causette et les esquimaux, et si le président joue, personne n'osera plus ni parler ni manger, tout le monde se sentira obligé d'aimer sa musique ou de faire semblant. Ça serait mieux en ouverture ou en conclusion... Et s'il ne l'avait pas son accordéon ? Avec tout ce qui doit tenir dans sa tête cet homme-là, il pourrait bien l'oublier. J'aurais dû lui dire, dans la lettre, de l'apporter... D'autre part, si je lui avais dit, j'aurais eu l'air de l'obliger, c'est gênant. On verra bien... Il reste toujours comme ressource l'instrument de Fandon. Il le prête à personne, mais au président, m'étonnerait qu'il ose refuser, s'il demande gentiment... J'aurais peut-être dû lui parler aussi du député pour l'allécher à venir ? Parce que maintenant, je suis sûre qu'ils sont copains : Perduvent m'a dit : « Charron, c'est le chien des Champs-Elysées. » Pas étonnant qu'elle soit bizarre cette bête-là : Saint-Crépin, ça a dû la changer après Paris... Tant pis : ma lettre est partie... Peut-être que j'ai bien fait de pas parler du député, ça aurait pu tourner à l'incident diplomatique : « Comment, qu'il aurait dit le président, y'a une fête dans le bled de Georges-Pierre — ils s'appellent sûrement par leurs prénoms — et c'est pas lui qui m'invite ? Je vais lui reprendre mon chien puisque c'est comme ça. » Alors, évidemment, l'autre il aurait cru que c'était pour me venger de son chien, j'aurais été dans de beaux draps. C'est mieux comme j'ai fait... J'aurai un triomphe, avec M. le curé... On parlera de nous aux actualités régionales de la télévision, et le pape, qui est moderne, il enverra sa bénédiction. Peut-être que le président me donnera un petit emploi au ministère : aller porter le courrier d'un bureau à un autre par exemple. Et alors, je rencontrerais le ministre, qui serait célibataire, qui chercherait à se marier avec une jeune fille sérieuse, qu'il voudrait grosse en souvenir de sa maman, qui était grosse aussi. Il deviendrait amoureux de moi et il m'épouserait. Et on ferait des voyages, et on rencontrerait le Shah et Farah Diba, mais pas la reine d'Angleterre parce qu'elle est moins sympathique que Farah Diba et que le climat de l'Angleterre c'est des coups à attraper mal avec le brouillard. Et... si on se laissait aller à l'imagination, qu'est-ce qu'on inventerait comme bêtises... Du calme, ma fille, la première qualité d'une comédienne, c'est de connaître son texte, et tu ne sais pas encore ton rôle en entier, M. le curé attend la réplique.

« Assassin ! Assassin ! Assassin !

— Mais non, Mado, ce n'est pas ça, tu as trois pages d'avance !

— C'est une idée fixe ?

— Non ce n'est pas une idée fixe : tu ne sais pas ton texte.

— Mais si je le sais, même que « c'est une idée fixe » c'est dans le texte, trois pages avant « assassin assassin assassin ».

— Oui.

— Ah ! Vous voyez !

— Mais non : « oui » c'est dans le texte. Enchaîne.

— Enchaîne, ça y est pas. »

Je comprends pas pourquoi ils s'énervent tous pendant les répétitions. Moi je garde mon calme. De toute façon, tant qu'on n'aura pas les costumes, je pourrai pas jouer parfaitement mon rôle. Heureusement, c'est cette semaine que je vais choisir les tissus avec Mlle Blanche. Elle a le goût sûr, Mlle Blanche : c'est à elle qu'on confie toutes les robes de mariées. Même celle de la fille du maire, que c'est pour bientôt le mariage. Moi, je l'ai vue la robe : mazette, qu'est-ce qu'elle est belle ! Pensez : du tissu à quatre-vingts francs le mètre. Et en quatre-vingt-dix, ce qui n'est pas économique comme en cent quarante. Mlle Blanche et moi, on sera plus économes pour les costumes de scène : faudrait pas envoyer une note trop élevée au Député, tout de même. La robe à la Dominique, elle est longue, et blanche bien sûr, pas trop décolletée parce que ce jour-là, ça ne se fait pas, et un peu évasée après la poitrine, pour cacher le ventre qui commence à se voir. Ça s'appelle la forme princesse, qu'elle m'a dit Mlle Blanche, parce qu'elle rapporte pas les commérages, mais en fait, j'ai bien vu que c'était comme une robe de maternité. De toute façon, les vraies princesses, ça n'existe plus : même Anne d'Angleterre et Caroline de Monaco n'ont pas épousé des princes, à quoi ça rime ? Passe encore pour Caroline de Monaco, qui est d'un pays qui est pas vraiment un pays, et qui a une mère qui n'a pas toujours été princesse, mais Anne d'Angleterre...

« Eh bien, adieu.

— Ah, bon ? On s'en va ? C'est déjà fini ?

— Non, Mado, ce n'est pas fini : « eh bien adieu » c'est dans le texte. T'as encore perdu le fil. A quoi tu rêves ?

— A la reine d'Angleterre. »

Ils rigolent tous maintenant. J'aime mieux ça que quand ils s'énervent. On fait la pause. Messaline s'empresse de venir s'installer sur mes genoux, où elle a toute la place pour se retourner sur le dos et me tendre son ventre pour que j'y fasse des papouilles. J'aime bien les bêtes, moi. Comme saint François, qui est mon saint préféré, avec Austreberthe et Antoine. C'est même lui qui est en tête du peloton. Tiens, à propos : qu'est-ce qui a gagné l'étape du tour de France, aujourd'hui ?... Ah ! bon : c'est fini, le tour ?... Raté : moi qui essayais d'attirer l'attention des hommes avec une question sportive, alors que j'y connais rien au sport, même pas le cyclisme, que je devrais pourtant, rapport à mon métier. C'est qu'il y en a des hommes ce soir, sans compter l'abbé, et en plus du maître de maison : Maurice Ramot et Etienne Blanchet, qui jouent dans la grande pièce après nous, le fils Menu qui est en permission et qui vient se donner une idée de la fête parce qu'il ne sera pas là le 15 août — ça ne lui va pas les cheveux courts — et François, qu'on a convié pour parler des décors car c'est lui qui assume ça : il fournit les panneaux de bois, que Mlle Blanbouillon peint, en trompe-l'œil qu'elle dit. On aura une fausse fenêtre sur scène, pour où que je menace de me jeter. Je menace seulement, parce que c'est pas une tragédie mais une comédie qu'on joue ; et puis c'est plus pratique, parce que si je devais me jeter vraiment, faudrait pas qu'elle soit fausse la fenêtre. Adroite comme je suis, ça serait des coups à me blesser. Et je pourrais pas revenir saluer. C'est important de saluer correctement : ça vous définit une comédienne comme des cabinets propres vous classent une ménagère. Est-ce que je ferai la révérence comme les filles du beau monde quand M. Chazot les fait danser à ce grand bal que j'ai vu à la télé ? Ça s'appelle la nuit des débutantes. Tout comme pour moi qui débuterai sur scène. La révérence, je crois que c'est risqué, parce que j'ai le genou droit qui craque quand je le plie. Quoique... avec le bruit des applaudissements, on l'entendra pas. Oui, mais moi, je saurai, et ça me troublera : on a la pudeur de ses petites misères. Est-ce que j'enverrai des baisers à la foule ? C'est peut-être beaucoup. Restons simple : petite inclinaison de tête seulement. Mais si mon capet se fait la valise pendant que je penche la tête ? Et qu'il tombe sur les genoux du Président, qui supporte pas les plumes, et que celles de mon chapeau le feraient éternuer ? Ma carrière serait fichue... Je reviens saluer sans chapeau... Alors on dira : « Elle est bien pressée de rentrer chez elle, la Mado, elle a déjà commencé à se déshabiller », et ça fera croire que j'aime pas vraiment le théâtre, que si jamais y'a un metteur en scène dans la salle, il m'embauchera pas, et que si il y a un célibataire, il ne se déclarera pas, parce qu'il pensera que pour être pressée comme ça, j'ai sûrement un amoureux. C'est pas simple d'être théâtreuse...

J'aimerais bien, moi, un grenier comme ça. Il y fait chaud et sombre, on n'entend pas les bruits du village mais seulement les piaillements des martinets nichés sous le toit. C'est plein de choses abandonnées, qu'on doit être content de retrouver de temps en temps : ah ! tiens, voilà ma première poupée, mon cheval de carton crevé, mon ours qu'a perdu un œil, mes cahiers de classe pleins de pâtés, l'horloge de marbre vert et noir qui a cessé pour toujours de tictaquer dans mon sommeil d'enfant, le panier où la chatte avait fait ses petits, les habits des morts pieusement entassés dans un coffre à naphtaline, les lettres des amoureux qu'on a perdus de vue mais qui vous aiment toujours de leur écriture pâlissant un peu plus chaque année. On doit se sentir riche avec un grenier, on doit avoir l'impression de pouvoir mettre le temps en conserve pour qu'il ne s'échappe pas. On doit rien perdre. Moi je suis venue au monde toute nue : sans parents et sans grenier. C'est pas comme Mlle Blanche, qui habite la maison que sa famille lui a laissée...

« Ça y est, Mado : je les ai. »

Dommage : va falloir descendre pour les regarder à

la lumière ces vieilles revues de mode de sa grand-mère. Je serais bien restée à fouiller ; même si c'est pas mon histoire.

« Tu viens ? N'oublie pas de refermer, parce que la lucarne cassée fait courant d'air. »

Un fantôme a pleuré dans le chambranle quand j'ai tiré la porte. Est-ce qu'elle leur parle, des fois, à ses morts, Mlle Blanche ?

Elle me fait asseoir, en bas, devant la pile de catalogues sortis de la poussière, une boîte à biscuits où sont rangées les photos des kermesses précédentes, et un bocal de cerises à l'eau-de-vie. Progressivement inspirées par ces trois édifices, nous commençons à dessiner des robes bientôt surchargées de queues, de traînes, de poufs, de volants ; et des chapeaux à plumes, à voilettes, à fleurs... Qu'est-ce que je serai belle en Valentine... Je décide même de perdre cinq kilos, ou dix, dans les semaines qui nous séparent de la fête ; et, forte de ce projet, j'entame la charcuterie, la concoyote et le pain d'épice fourré que Mlle Blanche a mis sur la table avant le départ pour Merey.

D'une pédale joyeuse, nous atteignons la rue principale et les « Grands Magasins Généraux des Tissus et Lainages de France ». Quelle couleur je vais prendre ? Ce vert-là, c'est comme la vigne de la colline, avant que les grappes ne soient mûres.

Et ce violet-là, ça ressemble aux prunes du verger à Boussicaud, où je m'attarde des fois, hors de portée des fusils. Jaune beurre ? Blanc meringue ? Non : le clair, ça grossit. Rose jambon ? Non : l'uni, ça grossit aussi. Finalement, ça sera vert et noir, à cause de la pendule du grenier, qui sonne dans ma tête :

« Vous m'en mettrez quatre mètres. En grande largeur. Et sans rire, s'il vous plaît. M'enfin, quoi, je vais appeler le gérant. Et la même chose en doublure. Et que ce soit un peu raide, pour que ça se tienne, c'est pour une vieille robe. Non : c'est pour une robe neuve, sur un vieux modèle. C'est pour jouer du théâtre. Courteline, vous connaissez ? Non ? Ah ! bon... C'est moi qui serai dedans le quinze août. Ça vous intéresse pas ? Y'a d'autres clients qui attendent ? Faites excuse... Et huit mètres de ruban de satinette noire... Ah ! Vous avez qu'en tergal, le ruban ? Ça ira quand même. Dommage, pourtant : ça brille moins que la satinette. Mais le tergal y'a pas à repasser, bien sûr. Et une fermeture éclair, du cinquante ; et dix-huit boutons boules, noirs aussi... Non, la taille en dessous... Y'a pas... Va pour ceux-là, on fera aller... Mais seulement seize alors. Et un rouleau d'extra-fort pour les ourlets. Qu'est-ce que vous avez comme voilette ? Non, pas noire : c'est pas pour un enterrement... Non, pas blanche : c'est pas pour un mariage. Vous avez que noir et blanc ? Alors une de chaque, on s'arrangera en torsadant les deux. Et je voudrais voir vos fleurs artificielles... Cré nom ! Quel choix ! Qu'est-ce que vous en dites, Mademoiselle Blanche ? Mettez-moi cette rose jaune, ces pois de senteur violets et cette pivoine carmin. Vous n'avez pas plus épanoui pour la rose ? Celle-là ? Non : elle a l'air prête à faner, je reviens à la première. Ce sera tout. Vous me faites un paquet solide, pour attacher sur mon vélo. Où c'est que je peux trouver des plumes ? Comment « au cul des poules » ? Vous pourriez être polie, je suis une grosse cliente moi, aujourd'hui. Comment « la semaine dernière aussi j'étais grosse » ? C'est bien la dernière fois que je viens ici : ma prochaine commande, ce sera pour votre concurrent ; je vais vous en faire de la réclame à Saint-Crépin. Sûr que vous n'aurez pas de billets à prix réduit pour le théâtre ; l'abbé Poindou parlera de vos méthodes dimanche en chaire... C'est Monsieur le Député qui va pas être content ; je venais acheter de sa part... Sûrement que je le connais le Député : même que je buvais encore le café chez lui, y'a pas huit jours. Lâchez-moi, Mademoiselle Blanche, j'ai pas fini. Et... » Trop tard : Mlle Blanche, arc-boutée contre la caisse du magasin, a réussi à me pousser dans la rue. A quoi ça servirait de continuer, qu'elle dit, les méchants et les imbéciles sont sourds. Viens, on va se consoler au salon de thé.

C'est vrai il existe pas un chagrin qui résiste à un gâteau. On est bien là, à l'ombre de la cathédrale, que c'est concert de carillon en cette saison, pour les touristes ; les moineaux viennent picorer jusque dans les assiettes vides. Avec moi, ils mangeront pas gras : restent plus que les caissettes en papier des babas au rhum et les étiquettes des spécialités au grand marnier.

Pour éliminer les calories après ça, Mlle Blanche décide qu'il faut visiter le Donjon, qu'on y est jamais allées ni elle ni moi. Elle aime beaucoup l'Histoire, Mlle Blanche, elle est même abonnée à *Historia* et elle a lu tous les livres d'Alain Decaux et de Castelot, qu'elle m'apprend, un peu fière. Alors, pour ne pas être en reste, en montant les cent vingt-cinq marches du Donjon, j'y fais l'historique des croissants, que c'est aussi une grande page de l'Histoire de France. Ça se passait à Poitiers, il y a bien longtemps. Tout le monde dormait, parce que dans ce temps-là on n'avait pas la télé pour vous tenir des heures dans votre salon, et qu'il faisait chaud que dans les lits parce qu'on avait pas non plus le chauffage central. Vous êtes chauffée comment, vous, Mademoiselle Blanche ? Au fuel ? Ça va encore augmenter à la rentrée, il paraît. C'est tout chez les Arabes, le pétrole, que les religieuses elles doivent encore tempêter pour canoniser Charles Martel. Vous connaissez, Charles Martel ? Justement, à Poitiers, il était là, qui dormait comme tout le monde, sauf le boulanger, c'était déjà des horaires pas possibles dans ce temps-là. Donc, mon boulanger, il pétrissait sa pâte pour la première fournée, et comme il avait pas de transistor pour meubler sa nuit, il écoutait le silence... Même que le silence, tout d'un coup — Ah ! ben dites, c'est haut ici — il est coupé par un bruit qui venait de sous la terre. Les égoutiers ils travaillent pas à cette heure-ci qu'il se dit mon boulanger, qui ça peut bien être ? Et si c'étaient les Arabes qui faisaient un tunnel pour prendre la ville ? — Ah ! ben on a une belle vue, au sommet de ce Donjon, ce serait dommage de ne pas être venues — Parce que, faut vous dire, les Arabes, ils étaient sous les remparts depuis un moment, qui commençaient à s'énerver. Faut que j'aille réveiller

M. Martel. C'est bien ennuyeux si tôt que ça : il aura pas déjeuné, et c'est pas bien raisonnable d'aller à la bataille le ventre vide... Mais faut ce qu'y faut : la patrie est en danger, allons z'enfants, le jour de gloire est arrivé. Alors il a réveillé Charles, qui a sorti les Arabes de leur trou, qui leur a fait des trous dans la peau, qu'on les a jamais revus depuis, sauf sur les chantiers, mais là c'est pas la victoire en chantant.

C'était expédié pour l'heure du déjeuner. Si bien que le boulanger est arrivé dans la chambre de M. Martel — il s'était recouché pour faire la grasse matinée : ça fatigue son homme, la guerre — avec du café au lait et une douzaine des croissants qu'il venait d'inventer en souvenir, parce que sur le drapeau des Arabes y'avait un dessin comme ça — ça va mieux en descendant, j'en ai les jambes coupées de ces cent vingt-cinq marches. — S'il était canonisé, Charles Martel, il serait le patron des pâtissiers et des boulangers. Parce que maintenant, c'est deux métiers différents, pâtissier et boulanger ; avec toute la fantaisie qu'exige la clientèle : et celui-ci qui veut de la baguette comme à Paris, et celui-là qui veut du pain de campagne, qu'y en a jamais eu du comme ça dans les campagnes, et cet autre du pain noir parce que c'est plus le pain des pauvres mais le pain des riches, qui t'étalent du beurre dessus pour manger avec les huîtres et le saumon ; et les gâteaux fourrés à ceci, et décorés comme ça, et sans sucre parce que j'ai le diabète, et comment c'est possible de faire des gâteaux sans sucre, et des glaces en toute saison ? On achète des cartes postales en souvenir ? Il avait l'air si aimable le gardien, quand on est arrivées... Pardon, Monsieur, c'est les Arabes qui ont détruit le château, qu'il reste plus que ce Donjon ? Les Suisses, vous dites ? Je croyais qu'ils ne faisaient jamais la guerre, les Suisses ? Ah ! c'était il y a longtemps, avant qu'ils aient des coffres où les autres planquent leur fric... A combien elles sont vos cartes postales ? Non : j'ai pas besoin de timbres, c'est pas pour envoyer, c'est pour donner à Philomène. Je suis la factrice vous comprenez, alors c'est pas la peine que je mette un timbre pour payer le transport, puisque c'est moi qui transporte... Ce qu'il doit s'ennuyer cet homme-là, tout seul dans sa tour toute la journée. Je reviendrai lui faire la conversation quand Germaine sera occupée avec ses clients. Peut-être qu'elle le connaît ? Peut-être qu'elle sait s'il est marié ou pas ? Il est bel homme, même que c'est dommage de mettre de la belle marchandise comme ça dans un vieux Donjon qui sent un peu le pipi parce qu'il y en a sûrement que ça amuse de voir leur pipi dégringoler cent vingt-cinq marches. Peut-être qu'il a le droit de rester dans le jardin en bas, quand y'a pas de clients ?

Dans le fond, Germaine qui aime tellement la nature, elle pourrait peut-être venir tapiner par ici ? Comme ça, elle pourrait me présenter après. Falloir que je lui parle de mon idée quand j'irai la voir tout à l'heure... Ben, non, Mademoiselle Blanche, je ne rentre pas avec vous, j'ai rendez-vous avec une amie pour son anniversaire, on va au restaurant. Au revoir. A demain pour que vous me preniez mes mesures. Ça sera quand le premier essayage ?... A mardi, alors...

Où j'en étais de mes pensées ? Germaine. J'en ai appris de belles pour le dîner de ce soir. Les autres années, on était toujours que toutes les deux — elle, elle ne vient pas au mien, mes collègues lui feraient la gueule. Donc, on était deux, on sera trois. Et le troisième, c'est M. Jean-Marie, l'écrivain du Grand Hôtel. C'était bien la peine qu'il insiste tellement sur les cascades et les châteaux à visiter, pour finir dans les bras de Germaine. Quand je dis dans les bras d'ailleurs, il paraît que c'est pas tout à fait ça : ceux qui passent dans ses bras, ordinairement, ils passent pas à sa table. Elle a des principes, Germaine : jamais s'afficher avec le client, les affaires, c'est les affaires. Et M. Jean-Marie, ça serait pas une affaire... enfin, ça serait pas les affaires, plutôt, parce que ça serait justement une affaire... Je me comprends... C'était pas bien clair au téléphone ce qu'elle disait, mais j'ai bien senti que sa voix était drôlement plus joyeuse que d'habitude. Je m'étais bien fait la réflexion que ça faisait un moment qu'elle m'avait pas appelée, et que ça faisait un moment aussi que je le voyais plus jouer au tennis l'écrivain, mais de là à faire le rapprochement...

C'est comme ça que je me trouve pour la première fois à la terrasse du « Grand Sultan », dans un fauteuil confortable (le premier que je trouve au format de mon postérieur, tellement malmené par la selle étroite de mon vélo), à siroter un ouiski, entre deux bouffées de la cigarette extra-longue que m'a offerte Germaine. Cré nom ! Qu'est-ce qu'elle resplendit, ce soir, ma copine. Elle est allée chez le coiffeur, qui lui a remonté ses longs cheveux en un chignon bouclé, qui remue dès qu'elle tourne la tête, avec des petits friselis sur le front, qu'on dirait des moutons au bord du lac de ses yeux. Comment qu'elle fait pour se peindre si bien les berges ? Une fois, elle a entrepris de me maquiller, pour rire, mais on n'a jamais pu finir : quand elle approchait les brosses et les pinceaux, j'avais les paupières qui papillotaient, alors elle m'a dit que c'était moi qui devais le faire, mais je n'ai réussi qu'à me mettre la brosse à cils dans l'œil ; ça m'a fait pleurer sur les couleurs, que c'était une vraie dégoûtation... Elle a une robe que je lui ai jamais vue, couleur de glycine, et sur sa blondeur, ça fait tout tendresse ; avec des dentelles vieillottes au bord du décolleté, qui laissent deviner juste ce qu'il faut de la ligne de séparation des seins. Ses belles jambes sont croisées bien haut, j'ai jamais réussi à faire pareil, avec ma graisse qui coince. Et Jean-Marie il regarde un peu dans l'ombre de ce carrefour, mais discrètement, parce qu'il a de l'éducation. Il est pas en reste pour l'élégance : costume de velours noir, un peu mou pour faire décontracté ; chemise blanche, que tout ça ferait demi-deuil s'il avait une cravate ; mais, justement, il a pas de cravate, seulement un petit foulard blanc à pois noirs, noué avec nonchalance dans l'encolure. Une tenue de poète, quoi. Surtout avec la mèche qui glisse sur le front et qu'il rejette de temps en temps d'un gracieux mouvement de cou, ou d'une preste et virile tape de la main.

« Me permettrez-vous de conseiller un petit Chablis pour accompagner la terrine du chef et le poisson, un Morgon 1961 pour la viande ; et un Château-Montaigne 1959 pour les fromages ? »

Ah ! Il a du style aussi, le maître d'hôtel, dans sa jaquette rayée. On se croirait dans un film... Bon, on dirait que je suis la metteuse en scène ; parce que derrière la caméra, y'a pas besoin d'être chic. Moteur, on tourne : le héros et l'héroïne passent à table. Nappe de dentelle, bouquet de dahlias pompons au centre, couverts en argent, verres en cristal, en veux-tu, en voilà...

« Vous ne mangez pas, Madeleine ? »

Si, si, bien sûr ; mais j'ai des soucis de scénario parce que la metteuse en scène ne sait pas quel couteau prendre pour la truite aux amandes — pêchée à l'aube dans la Furieuse, qu'il a dit, l'homme à rayures — et puis je connais pas le maniement des armes pour sabrer en longueur comme les acteurs.

« Vous voulez que je vous le fasse ? »

Comme il est gentil, Jean-Marie...

« Et on finira par du çampagne cez moi, qu'en dis-tu, mon çou ? »

Oui : parce qu'elle zozote, Germaine. Un charme de plus.

« Et ze mettrai mon disque d'opéra italien.

— Comment ? Tu aimes l'opéra ?

— Z'adore. »

La metteuse en scène n'avait pas de souci à se faire : les acteurs improvisent, leur texte est aussi bon que le sien :

« ... aux arènes de Vérone, la tradition veut que, juste à la nuit, tous les spectateurs allument une bougie. Quinze ou vingt mille flammes, sur des gradins deux fois séculaires : c'est à frissonner d'émotion... »

Pour le moment, de bougie, j'en vois qu'une, et c'est moi qui la tiens. M'oublient un peu, tout à leur musique de nuit.

« ... la dernière fois que j'y étais, hélas — *Madame Butterfly* — la représentation n'a pu être achevée : le vent s'est levé, qui a d'abord emporté les voix des chanteurs, puis les pupitres des musiciens, et, enfin, le décor...

— T'as vu, Germaine ? Carlotta elle aime bien le ris de veau aux morilles. Mais je me demande bien où qu'est le riz là-dedans ?

— A Orange, aussi, une fois, il y a eu un violent mistral...

— Jean-Marie, vous pouvez me passer le pain, s'il vous plaît ? »

Rien à faire pour attirer leur attention... Ils sont ailleurs... Je vais m'occuper autrement :

« Eh, Monsieur le maître d'hôtel... y'aurait pas du rab de morilles, des fois ? »

Quel constipé, ce type-là. Pas un sourire pour moi.

Raide, pincé. Pour proposer sa marchandise à Germaine et à Jean-Marie, il était plus aimable que ça, tout à l'heure. Je comprends pas, parce que des trois, c'est quand même moi qu'en avale le plus : il devrait être content.

« Tout va bien, Mesdames, Monsieur ? »

Le patron, maintenant...

« Parfait.

— Est-ce que vous pourriez me donner la recette du ris de veau aux morilles, que je la recopie. C'est faisable, sur un camping-gaz ?

— Madeleine !... »

J'ai dû gaffer, je sens bien. C'est pas commode, commode, de sortir dans le monde. Faut toujours s'observer : je dis ça, ou je le dis pas ? j'ai pas le code.

Jean-Marie, lui il parle et plus il parle, plus il boit, et plus il boit, plus il parle.

« Je t'en prie, Madeleine, finis la bouteille... »

Tiens, il me tutoie...

« ... c'est la première fois que je bois depuis bien longtemps : mon docteur me déconseille, à cause des neuroleptiques qu'il m'ordonne. »

Sûr, c'est pas la peine que j'inscrive Jean-Marie sur ma liste. Je suis pas de taille à faire concurrence à Germaine. Mais je pourrais peut-être plus me résigner à tous les autres inscrits sur ma liste. Ce soir, on m'ouvre le paradis, ça va être difficile de retourner au purgatoire demain. Il est vraiment à point ce fromage. Faudrait que je demande la marque au maître d'hôtel, mais j'ose plus. Pourtant, c'est le moment : il vient reprendre la table roulante :

« Je ne voudrais pas paraître vous rationner, Madame ; mais j'ai peur que l'odeur ne vous incommode.

— C'est vrai : il pue drôlement celui-là ! J'ai pas de conseil à vous donner, mais m'est avis qu'il faut l'écouler rapidement, sinon il sera bon pour l'élevage de bloches ! »

Il est pétrifié, le zèbre. Mado, ma fille, t'as encore dû dire quelque chose qui... Essaie de te rattraper.

« Remarquez, avec les bloches, vous pourrez aller pêcher des truites comme celles qu'on a mangées tout à l'heure. »

Je renonce, n'est pas vivable, ce commerçant-là.

Tiens, après l'omelette norvégienne, y'a plus que nous comme clients. Le feu s'est éteint dans la cheminée, et les roses ont semé leurs pétales sur le piano fermé. Carlotta s'est endormie sur mes genoux. Si je pouvais mourir, là, à la seconde, quand tout est si beau, si intact...

« Mais, Madeleine, tu pleures ? Arrête de m'embrasser Zean-Marie, Madeleine est saoule. Prends mon moussoir. Toi aussi, t'es noir, Zean-Marie. Allez, au lit tout le monde ; le çampagne ça vous ferait dégueuler. Maître d'hôtel, s'il vous plaît, appelez-moi un taxi. »

Le chauffeur a d'abord déposé Germaine chez elle avant de nous reconduire à Saint-Crépin, mon vélo ayant pris une chambre dans le garage du Grand Sultan. Le froid de la nuit m'a permis de rassembler à peu près mes idées, mais a achevé d'embrouiller celles de Jean-Marie, qui dit n'importe quoi :

« Pourquoi elle m'a quitté, la Traviata ? Je lui aurais donné tout l'or du Rhin, j'aurais été son Trouvère, son Tristan, son Roméo. Nous serions partis sur le vaisseau fantôme, avec Figaro à la godille... »

Arrivés devant le Grand Hôtel, ça a été encore pire : il s'est mis à chanter à tue-tête. Ah ! ça, il pouvait le hurler que la calomnie n'allait pas tarder. Dès le lendemain, que je parie, moi. Pour abréger le désastre, j'ai mis un de ses bras autour de mon cou, je l'ai halpagué par la taille de mon autre main, et je l'ai monté à l'étage malgré ses protestations :

— Non, Rosine, je suis trop lourd.

— Mais j'ai de la force.

— La force du destin...

— Je monte ma bicyclette comme ça tous les soirs.

— Je suis une bicyclette, je suis une bicyclette... »

Il s'est arrêté de chanter : il a imité la sonnette de mon vélo à chaque marche. Heureusement, personne n'est sorti des chambres : les clients devaient avoir peur.

Le plus difficile a été de faire admettre à ce vélo qu'il était pas question de faire un tour de piste dans les arènes — il continuait à calebasser ferme, le Jean-Marie — qu'il fallait lâcher le guidon et dormir. Je l'ai allongé de force sur le lit. Il a encore crié quand je lui ai enlevé ses chaussures :

« Non, non, pas mes pédales. Je ne pourrais plus rouler... »

Et il a roulé dans le sommeil. Je l'ai regardé un moment. Il riait encore en dormant. Et puis il a frissonné. J'ai tiré la couverture sur lui, et j'ai pris sa main dans la mienne, en tremblant, tellement j'avais peur qu'il se réveille. Elle était très chaude et un nerf tapait dans sa paume. Il me serrait le pouce. J'étais bien. Mais je me suis dit qu'il fallait pas qu'on me trouve là au petit déjeuner, je me suis décidée à partir. J'ai desserré ses doigts du mien, j'ai replié cette chère main sous l'oreiller, et, tout doucement, je me suis penchée sur son visage. J'étais si près que j'avais le souffle de son haleine sur ma bouche. Alors je l'ai embrassé, comme j'avais jamais osé embrasser personne : au bord des lèvres, en touchant un peu les dents du bout de ma langue. Il a tressailli, sa bouche a remué comme pour demander encore un baiser, mais je l'ai quitté, parce que je savais bien que c'était pas de moi qu'il rêvait à cet instant.

Mais maintenant, je peux plus dormir tellement j'ai la fièvre. C'est tendre la chair de la bouche. J'ai senti son odeur aussi, celle de sa peau, mêlée à l'eau de toilette et au tabac de Germaine. Dans ses cheveux, surtout, l'odeur de la cigarette. Des fois, pour me rappeler, je fumerai. T'as vu l'heure qu'il est, ma fille ? Faut dormir. Surtout que demain, c'est encore java. Qu'est-ce que je dis, demain ? On est déjà demain !... Faut plus que tu penses à lui de toute façon. Il est pas d'ici, mais de Paris. Et tu connais rien de ce qu'il aime : l'opéra, les livres... Ce baiser-là, ce sera seulement un beau souvenir, un énorme secret, à se raconter le soir avant de dormir, entre deux croquettes au praliné.

En prenant le courrier ce matin, j'ai dit au receveur :

« Est-ce que vous ferez la poule, ce soir ?

— ... Comment ?

— Ah ! C'est vrai : j'oubliais que vous êtes pas de la région. Faire la poule, ça veut dire assister au bal qui suit un mariage. C'est une vieille coutume ici : tout le village est invité, touristes compris, et les mariés distribuent du vin et de la brioche. Faut pas manquer la poule de ce soir, parce que c'est celle de la fille du maire : paraît qu'on aura deux parts de brioche au lieu d'une, et qu'un vieux vin de paille remplacera la piquette habituelle.

— C'est charmant, j'y serai. »

J'ai fait la même réclame auprès des clients du Grand Hôtel, et ceux du terrain de camping, si bien que tout Saint-Crépin est ce soir dans l'annexe du Grand Hôtel, où se déroulent les festivités. Je devrais dire « où se sont déroulées », car avant la poule, y a eu deux gros repas, réservés aux familles et aux intimes. Rien qu'à regarder les joues et les yeux, on sait qui arrive juste et qui est là depuis midi : les pommettes rouges, les regards brillants, les bouclettes débouclées, les chignons brinquebalants, les cravates dans les poches ce sont les gens de la noce. La

Dominique a même craqué un volant de sa robe — que Mlle Blanche, désolée, tâche de lui recoudre à grands points, entre deux portes — et perdu les fleurs de ses cheveux. Jean-Marie non plus n'a pas l'œil clair, mais lui, ça date de l'autre nuit... Personne n'aurait voulu rater ça, parce qu'en plus d'être gourmands, on est curieux : c'est pas tous les jours qu'une Saint-Crépinoise épouse un étranger. Un Italien, qu'a l'air d'avoir une tribu comme famille... Me semblent bien excitées les sœurs ou les cousines : Sylvain Biquet en a entraînées deux derrière un paravent, qui bouge beaucoup depuis. M. Plantu note des adresses pour échanger des timbres de collection, pendant que sa dame, dans son dos, fait des signes désespérés à Etienne Blanchet pour qu'il ne l'invite pas à danser. Perduvent essaie son latin auprès d'une jeune dame sombre qu'est comme un bonbon au miel trempant dans un espresso, et Maurice Ramot lit à haute voix un livre qu'il a sorti de sa poche et qui doit être sentimental si j'en juge par le sourire de la jeune fille à qui il cause — faudra que je demande au bibliothécaire qui c'est Gramsci — M. le curé tardera pas à être dans les vignes du Seigneur s'il continue à trinquer avec le grand-père qui jargonne un peu le français... Soudain y'a des mouvements dans la foule : paraît que v'là le député. Ça serait bien la première fois qu'il viendrait à une poule. C'est vrai qu'aujourd'hui, s'agit du maire, qu'est du même bord politique... Cré nom ! Il valse même avec la mariée. C'est presque aussi beau que dans le film que j'ai vu le mois dernier. Il y avait un

vieux prince sicilien qui dansait avec sa belle-fille qui
était pas du tout princesse. Enfin... ça aurait pu être
aussi beau, si la Dominique elle s'était pas troublée au
point de s'emmêler les crayons et de recraquer la
robe. Pauvre Mlle Blanche : elle en pleurait. Pourtant, le Député, c'est pas un prince, et la Dominique
est pas fille d'un marchand de cochons : ça n'a pas
l'air du tout d'une mésalliance. Le marié est même
galant homme — paraît qu'ils sont tous comme ça là-
bas, c'est Germaine qui me l'a dit — il invite toutes
les jeunes filles de Saint-Crépin. Même moi, en
disant :

« Ecco una ragazza per Fellini », ce qui fait bien
rire toute la famille et Jean-Marie qui comprend
l'italien.

« Qu'est-ce qu'il a dit ?

— Que vous feriez une bonne actrice.

— Dites-lui donc de rester jusqu'à la kermesse, il
verra qu'il se trompe pas... Oh pardon ! Je crois que
je vous ai marché sur le pied ?... Si fort que ça ? »

Me v'là à nouveau sur ma chaise, confuse d'avoir
abîmé le marié. C'est sûr qu'après ça, personne va
plus oser m'inviter. Faut dire aussi que j'ai pas de
pratique. C'est pas chez les sœurs que j'aurais pu
apprendre à danser, et après, aux bals du quatorze
juillet, je faisais toujours banquette, alors... J'ai bien
emprunté *Savoir danser en dix leçons* au bibliobus,
mais la théorie, c'est pas pareil.

Pour le cha-cha-cha, pourtant, je croyais bien que
j'étais au point : un, deux, trois, quatre... un deux,
trois, quatre... C'est qu'y s'agissait pas d'un cha-cha-

cha, me dit Fernande, mais d'un tango... Je comprends mieux pourquoi ça n'allait pas : le tango c'est un, deux, petits pas à droite et un, grand pas à gauche ; tous glissés, alors que pour le cha-cha-cha, faut taper avec le bout du pied. J'ai pas reconnu. Je disais encore hier que j'étais pas sensible d'oreille... Dis donc, Fandon, vous pourriez pas nous jouer un cha-cha-cha ? Ah ! bon : vous faites la pause ?... Les Italiens ont une grande discussion pendant cet entracte, on dirait même qu'ils se disputent, mais finalement, ils entonnent un chant de leur pays... Cré nom ! Heureusement qu'on est pas dans une serre : y'aurait plus de carreaux. Je me rappelle : le jardinier, chez les sœurs, il voulait jamais que je chante quand j'allais tripoter ses pots. Pourtant j'aime bien chanter moi. Il paraît que ça serait rien si je me contentais de chanter faux, mais je chante fort en plus. Alors, je chante que quand je suis toute seule, par les chemins. Des cantiques religieux, ou des chansons d'enfant, comme « quand j'étais petite fille, mes moutons j'allais garder » ou « il descend de la montagne à cheval », ou encore « ils étaient six dans un nid », que c'est celle-là que les gamins ils préfèrent que je leur apprenne. C'est surtout le final qui est beau — pas le final des oiseaux dans le nid, celui du chant italien — que le frère du marié il a tenu la note plus longtemps que tous les autres. Tiens, v'là les gendarmes :

« On croyait qu'il y avait une émeute. Excusez-nous. Bonsoir, M'sieu dames. »

Il est bien bâti le frère du marié. J'en verrais du

pays si je l'épousais. Pensez : l'Italie, qu'on dit que c'est si beau avec toutes ces églises. Et un pape. C'est pas tous les pays qui peuvent se vanter d'en avoir un. J'ai pas compris pour le dernier : c'est un Polonais. Si j'habitais là-bas, j'enverrais plein de médailles bénies à l'abbé, et des disques d'opéra à Germaine. La Dominique, elle en crèverait que je sois sa belle-sœur. Ça serait comme dans le film, où la fille du cochonnier n'est pas tellement appréciée par la famille du prince. Paraît que c'est pour ça que ça n'a pas marché Caroline de Monaco et Charles d'Angleterre.

Popaul, Albert et Fandon ont recommencé à jouer, émoustillés par le vin italien qu'ils ont bu pendant la chanson, et vexés d'avoir fait moins de bruit avec leurs instruments que les étrangers avec leurs gosiers... Ma tête à couper, si c'est pas un cha-cha-cha cette fois... V'lan : le paravent s'est effondré et le Biquet a l'air tout con, en slip devant tout le monde. M. le curé, qu'a pas encore la vue complètement embuée, a juste le temps de s'interposer pour cacher le spectacle à la famille pendant que les trois complices s'évadent dans le jardin, poursuivis par le maire.

A mesure que le temps passe, Fernande et Mlle Phrasie perdent de leurs couleurs et de leur gaieté, parce que le receveur les invite pas à danser. Il a dansé avec personne de toute façon. Ça doit être un timide, faut pas le brusquer cet homme-là ; j'ai tout le temps d'épuiser ma réserve de tranches de brioche avant qu'il se décide. Peau-d'âne, qu'il dira, voulez-vous m'accorder ce cha-cha-cha ? Bien sûr, mon Prince, que j'y répondrai. Et à la première mesure, y'aura ma peau de Mado qui tombera par terre, avec toute ma graisse, ça se ratatinera comme une vieille pelure d'orange desséchée, et je serai toute belle, dans ma robe couleur de temps. Ça fait quoi, ça, couleur de temps ? Bleu comme l'été, ou gris comme la pluie ? Ou alors, à impressions : des nuages blancs sur fond d'azur. Ça amincit l'imprimé qu'elle dit, Mlle Blanche. Elle non plus n'a pas dansé, mais elle s'en fiche, elle vient pas pour ça : elle est là que pour surveiller comment que s'usent les robes qu'elle a faites. T'as vu comme il twiste bien mon tailleur vert ? qu'elle me dit. Et ma jupe prune, elle est pas belle quand elle valse ? Peut-être bien que j'y réponds, mais je pense que ma chasuble à rayures elle chachachaterait pas mal si on lui en donnait l'occasion.

Sont tous épuisés après le concours de charleston que le Biquet, renculotté, a gagné. Ça sent la fin des festivités : v'là la danse du tapis. Je vais pas rater l'occasion de me remuer un peu : je m'ankylose à rester assise. Peut-être que le receveur c'est moi qu'il choisira ?... Non, c'est M. le curé qui m'embrasse sous les ovations. C'est lui qu'on applaudit, ou c'est moi qu'on siffle ? A mon tour de biser quelqu'un. Le receveur, j'oserais pas — c'est mon chef quand même — mais Jean-Marie, maintenant qu'on est intimes, il va pas y couper. Et devant tout le monde. J'ose pas lui refaire le même baiser qu'hier, si près des lèvres : je me contente des joues. C'est pourtant bien tentant sa bouche, avec sa petite cicatrice sur la lèvre inférieure et son incisive du haut légèrement plus longue. Ça doit mordre un peu. Faudra que je demande à Germaine. Et les jolies petites rides dans les angles quand il rit. Faut dire qu'il rit fort en comprenant que le receveur se tire pour échapper à la ventouse de Fernande. Surtout qu'elle embrasse mouillé, Fernande. Ça y est, on s'en va. Moi la dernière, comme d'habitude, parce que j'espère toujours un miracle. On croit souvent que ceux qui partent les derniers c'est ceux qui se sont le plus amusés, mais c'est pas vrai : c'est ceux qui s'emmerdent qui s'accrochent jusqu'à l'aube. Ah ! Mademoiselle, je ne vous avais pas vue de la soirée qu'il me dirait le miracle, mais maintenant que la foule vulgaire ne vous dérobe plus à mes yeux ravis — parce qu'il causerait bien mon miracle, comme dans les livres — je ne vous lâche plus : où qu'on va se la manger cette soupe à l'oignon ?

Comme il fera beau aujourd'hui... L'aurore incendie tout le ciel. J'aime bien cette heure-là, au moment de l'éveil des libellules bleues sur la rivière. Cette beauté-là, au moins, je peux me l'embrasser sur la bouche sans que personne ricane. Pourquoi il me tutoie plus Jean-Marie ? Moi je croyais qu'il commençait à m'aimer un peu. C'était seulement qu'il avait bu. Faut que je me fasse une raison : il est pas pour moi cet homme-là. C'était bon pourtant le passage du vous au tu, ça me faisait comme des caresses dans le dos. T'en veux encore des caresses, Médor ? Tu crois pas que tu ferais mieux d'aider Philomène à garder le troupeau ? Allez, sauve-toi, j'ai pas envie de jouer ce matin. Tu t'en fous toi, bien sûr : t'es le plus beau chien de Saint-Crépin, alors toutes les chiennes te tutoient. Et pas que ça, même. T'as le choix, toi, pour la danse du tapis, t'as pas besoin de voler pendant le sommeil. T'as vu comme ils sont beaux mes ricochets ? Dommage qu'y ait pas un concours de ricochets à la kermesse, parce que je gagnerais sûrement : c'est la seule chose que je sais bien faire. Mais c'est une chose qui ne sert à rien, alors... C'est comme le latin de Perduvent... Encore, les sœurs, ça leur servait à prier, mais maintenant qu'on le fait en français... Toute façon, Perduvent, il va jamais à l'église. Pas qu'il soit fâché avec le curé, notez. Non, il préfère les dieux anciens qu'il dit, qui m'avaient l'air, d'après les histoires qu'il nous raconte des fois, pas très catholiques : ils se faisaient des vacheries entre eux, ils se piquaient leurs bonnes femmes. Y'avait même un dieu des voleurs, c'est dire. Drôle d'idée. Notre Bon Dieu à nous, qu'est comme qui dirait un peu plus père Fouettard, il rigole pas avec ça : le vol, c'est un péché. Et piquer la femme des autres aussi. Et faire des vacheries aux copains... C'est presque tout qu'est un péché, dans la vie. Ce qu'il faut, c'est adorer Dieu qu'elles disaient les religieuses, et lui rendre grâce toute la sainte journée. Mais on n'a pas toujours que ça à faire. Moi, j'ai mes tournées. Et y'a des jours où on a pas tellement envie de l'adorer. Moi ce matin, par exemple, que je me suis emmerdée toute la nuit. Tiens, le v'là, justement le Bon Dieu, porté dans sa petite boîte par l'abbé.

« Ah ! Ma pauvre Madeleine, juge comme les voies de Dieu sont impénétrables : pendant que nous nous réjouissions de l'union de deux êtres, un troisième agonisait seul. J'y vais de ce pas. »

Et moi, alors, ça fait pas trente ans que j'agonise toute seule ?

Le Césaire Blanc est veuf : on enterre sa défunte aujourd'hui. J'ai sacrifié à ma tradition du blanc-cassis au Grand Hôtel et de l'anisette chez Choupinet afin d'assister à la messe des funérailles. Y'a beaucoup d'absents, bien que les Blanc soient ici depuis longtemps, mais la Marie-Josèphe a lassé tout le monde avec son agonie trop longue. On s'était désolé quand elle était tombée malade. On avait demandé des nouvelles, quotidiennement, puis toutes les semaines, et, enfin, au hasard des rencontres. On s'était habitué, quoi, parce qu'on s'habitue toujours aux malheurs des autres. Y'a que les nôtres qu'on oublie pas. Les bonheurs passent dans nos mémoires comme de la glace au soleil, mais les chagrins... Mon chat, je l'ai eu que six mois. Est-ce que ce sont ces six mois qui me reviennent ? Son ronronnement quand je rentrais ? Ses danses dans mes jambes quand je lui coupais de la rate ? Sa bonne chaleur quand on dormait ensemble les nuits où il trouvait qu'il faisait trop froid pour la chasse aux mulots ? Non. La seule image fixée une fois pour toutes, c'est sa mort. Je rentrais de ma tournée, il était couché sur le flanc, au bord du fossé. J'ai cru qu'il prenait le soleil, mais en m'approchant, j'ai vu du sang sur ses délicates narines roses qu'avaient viré au marron, et ses grands yeux fixes, son poil déjà collé, sa grâce devenue toute raide. J'ai crié, j'ai tremblé. Et j'ai vomi en l'enterrant. J'ai pleuré dans chaque maison, à ma tournée du lendemain. Y'en a qu'ont compris, mais y'en a aussi qui se sont moqués, parce que des chats, il en naît et il en meurt chaque jour. Ils m'ont dit d'en prendre un autre. Mais j'en aurai jamais d'autre. Ce serait pas pareil. C'est celui-là que j'aimais. Il venait de chez Perduvent : sa Messaline avait fait trois petits, il en avait placé deux, il devait noyer le troisième. Alors, j'ai dit que je le prenais. Perduvent lui avait trouvé un nom : Virgile. Césaire, lui, il a encore ses enfants. Elle a mis du temps à mourir Marie-Josèphe. On s'était étonné que la fin prédite n'arrive pas plus vite ; le docteur s'était même vexé qu'elle respecte pas le délai qu'il lui avait accordé. On les avait un peu abandonnés en fait, elle à son lit malodorant, lui à son état de demi-veuf. Elle était morte dans l'anonymat le plus complet, et, à part moi qui avais croisé l'abbé, on s'était douté de la chose que le lendemain matin, en voyant le Césaire tôt levé et rasé de près.

Il a bien fait les choses tout de même, préférant le chêne au sapin pour le cercueil. Mais il est visiblement distrait par la lumière du dehors, qui danse sur le vitrail. Il a raté le printemps, il est veuf juste assez tôt pour ne pas perdre l'été. Comme ça a dû lui manquer les pêches de l'aube et les braconnages nocturnes...

Il se reprend pour les remerciements et mouille de larmes les mains qu'il serre. On est quelques désœuvrés à l'accompagner jusqu'au cimetière. Me semble quand même qu'un enterrement c'est plus là qu'à l'église. Et puis, le monsieur des Pompes Funèbres, il se décidera peut-être à enlever son gant, que je voie s'il a une alliance ou non. C'est curieux comme ils font maintenant : on connaît plus les croque-morts et puis ce maître de cérémonie à la tristesse bien pimpante qui sépare les dames des messieurs dans l'église, comme si qu'on aurait idée de songer à des cochonneries, et qui nous souffle tout ce qu'il faut faire... Debout, assis, couché.

Le mort, il est bien mort, en somme c'est plus les copains qui le mettent en terre et on n'ose plus se raconter les derniers potins avec ces pingouins en uniforme et casquette. J'aimais mieux avant : François et son père venaient prendre la mesure du corps, ils discutaient de sa hauteur et de sa largeur, de comment qu'il était avant d'être mort, et ils lui faisaient un beau cercueil qui sentait bon les copeaux frais. Avec le vieux père André, ils descendaient le copain dans le trou, en douceur, mais en jurant un peu, y'avait un bruit mat dans le fond, on pleurait un grand coup tous ensemble en entendant ça et ça nous faisait chaud au cœur. Maintenant plus un bruit : ils ont la main. Alors, on reste dignes, on n'ose plus pleurer devant ces étrangers. On se croirait à la ville.

Et je sais de quoi je cause : je suis allée à deux enterrements à Merey. Celui de la sœur de l'abbé, qui s'était bien occupée de la kermesse autrefois, du temps qu'elle était valide, et celui de la mère de Germaine. Z'étaient fâchées ensemble, à cause de la profession de Germaine, mais n'empêche que Germaine elle avait bien du chagrin. D'abord, elle, elle était pas fâchée avec sa mère, c'est sa mère qui était fâchée avec elle, c'est pas pareil. Ce jour-là, Germaine, je l'ai vue sans maquillage. Eh bien, elle était belle quand même. Je l'ai prise par les épaules, et on est parties toutes les deux : je pouvais pas la laisser dans l'état qu'elle était. Elle m'a tout raconté ses malheurs. Ça nous a rapprochées. C'est pas non plus toujours une sinécure d'être belle, faut pas croire... Il a pas enlevé son gant, le pingouin gris, je saurai pas si je perds quelque chose ou non. Toute façon, il m'a pas regardée une fois, il en avait que pour le veuf, les orphelins et la boîte à la Marie-Josèphe. A la réflexion, ça m'aurait pas plu un mari qui fréquente que des macchabées. Et puis, vous savez ce que c'est l'émotion : y'aurait peut-être eu des petites veuves qui se seraient laissées aller dans ses bras. Et il aurait changé de banquise, mon pingouin. Mado, ma fille, tu serais restée Gros-Jean comme devant. C'est mieux comme ça, va : lui à Merey dans sa belle vitrine avec ses croix en marbre, ses regrets éternels et ses chrysanthèmes en plastique, moi, ici, au grand air. Marie-Josèphe, c'est tout des fleurs naturelles qu'elle a. A cette saison, ç'aurait été malheureux de lui coller de l'artificielle. Bien sûr, ça se garde pas les couronnes et les coussins. Mais y'a les plantes en pots, qui sont pleines de boutons. Je viendrai y mettre un coup d'eau tous les jours. Je vais pas l'oublier si vite, quand même. Et ce serait bien rare que le veuf, il vienne pas quotidiennement, au début. On causera.

J'ai faim. Ça creuse les enterrements. Rentrée chez moi, je prépare une omelette de huit œufs. C'est peut-être pas raisonnable pour mon régime, mais c'est pas tous les jours que je déjeune si tard. Je peux faire un excès le midi, d'ailleurs, puisque, depuis une semaine, je ne goûte plus à quatre heures. Finies les tranches de saucisson et les tartines de fromage : je passe mes après-midi à séduire. Enfin... à essayer de séduire. Il n'y a pas de raison que ce soit Fernande ou Mlle Phrasie qui épouse le receveur plutôt que moi ; c'est pourquoi je passe tous mes après-midi de la même façon qu'elles : à la poste. Comme y'a pas de travail pour moi, sauf en cas de pli exprès ou de télégramme, j'apporte un livre, que je lis assise sur le bord de la fenêtre. Ça a paru bizarre le premier jour, surtout que, le livre n'étant qu'un prétexte, je le tenais à l'envers sans m'en apercevoir, mais maintenant on s'est habitué à ma présence. Ni Fernande ni Mlle Phrasie ne se moquent de moi, trop occupées à la même entreprise. Fernande se maquille — un vrai désastre — et Mlle Phrasie s'est acheté un soutien-gorge rembourré, visiblement jalouse de ma taille cent-vingt, elle qui, sans renforts, n'a que deux boursouflures ridicules. Moi, j'ai rien changé de ma tenue habituelle, car le receveur l'aurait remarqué, et je tiens la discrétion pour principal facteur de réussite dans les affaires de cœur. Il se doute sûrement de quelque chose pour mes collègues, mais je me demande laquelle de Fernande ou de Mlle Phrasie lui déplaît le plus. Fernande bat sans arrêt de ses paupières arc-en-ciel et mordille amoureusement sa lèvre couleur minium (du minium gras, qui déborde, qui coule, qui bave...). Mlle Phrasie rit au moindre mot, en secouant très fort ses faux seins. Quand elles se lèvent, elles ondulent du croupion et frôlent le receveur de tout ce qu'elles peuvent : fesses, mains, bras, seins (ceux de Mlle Phrasie s'enfonçant vers l'intérieur quand elle s'appuie). On laisse en permanence la fenêtre ouverte quel que soit le temps, car ces demoiselles font aussi des compétitions de parfums violents : muguet pour Mlle Phrasie, violette pour Fernande. Mlle Blanche est débordée par leurs commandes, car elles veulent dorénavant travailler en tenue de gala ; elles mettent des fleurs en tissu dans leurs cheveux (Fernande) ou à leur décolleté (Mlle Phrasie), et des bouquets véritables dans leurs vieux pots de nescafé ; avant elles disparaissaient derrière les bottins, maintenant elles se dissimulent au public derrière des gerbes de roses et de dahlias. Fernande a entrepris de fumer, et comme elle s'étouffe, on retrouve de grands mégots barbouillés de rouge un peu partout. Ça a failli tourner au drame hier : en se penchant sur le receveur, elle a laissé tomber une cendre enflammée, qui a fait un trou à sa braguette. Ils sont devenus écarlates tous les deux, elle de confusion, lui de colère. Mlle Phrasie, qui ne perd pas une occasion d'enfoncer Fernande, a pro-

80

posé de faire une reprise adroite. Mais c'est à Mlle Blanche qu'il a accordé le plaisir de tâter l'intérieur de son pantalon pour réparer les dégâts. Il ne récupérera l'objet que demain : aujourd'hui, il est en blue-jeans. M. Plantu ne se serait jamais permis un tel laisser-aller. Il est vrai que M. Plantu aurait été tout à fait ridicule en blue-jeans, alors que M. Bléfour (Christophe de son prénom) est superbe de nonchalance.

Hormis pour l'épisode de l'incendie du pantalon, notre chef se départit jamais de son calme. Il pratique également l'art de la contorsion, mais pour éviter, non pour rencontrer, les morceaux de viande de ses voisines. Tu t'avances et je me recule, je me recule et tu t'avances... Tout le monde est épuisé au moment de la fermeture. Sauf moi, qui n'ai rien fait d'autre que regarder sans en avoir l'air, comme savait faire Virgile quand des oiseaux lui pépiaient dans les oreilles.

Lundi : le jour que j'aime pas. C'est le lendemain du dimanche d'abord, ce qui met de mauvaise humeur mes clients, et c'est le jour de la semaine où y'a le moins de courrier à distribuer. Ma tournée est vite finie. Aujourd'hui c'est mieux pourtant car il pleut à seaux, et j'ai dû avoir recours à mon système anti-intempéries (que je devrais faire breveter m'a dit Sylvain Biquet, toujours sensible au progrès). Je me harnache d'un ceinturon, auquel j'ai préalablement amarré mon parapluie ouvert. Comme ça, je suis à l'abri, mon sac à courrier aussi, et j'ai les mains libres pour tenir mon guidon et distribuer mes lettres ; ça me freine un peu quand il y a du vent, mais comme je tiens pas à être maillot jaune pour ma tournée... Ce temps-là me donne le cafard... Les campeurs restent sous leurs tentes et les clients du Grand Hôtel dans leurs chambres : de Jean-Marie, je n'ai plus que le bruit de sa machine à écrire quand je passe sous ses fenêtres ; le terrain de tennis ne retentit plus du choc mat des balles et sur la rivière ne demeurent que les silhouettes encapuchonnées des pêcheurs entêtés ; on ne me guette plus sur le pas des portes. M. Perdu-vent, auquel je n'ai apporté que des factures ces trois derniers jours me fait la gueule, je sais pas pourquoi. Je connais pourtant bien mon rôle maintenant, et les répétitions se passent parfaitement. Faudra que j'en aie le cœur net avant ce soir...

Ah ! J'ai pas le moral. Pour un peu même, je serais dégoûtée de mon métier, que j'ai choisi par vocation. Faut dire que je me faisais beaucoup d'illusions : je pensais que les gens me liraient les lettres que je leur apporterais, pour me remercier. Je me serais réjouie ou désolée avec eux, j'aurais appris les mariages, les naissances et les deuils de leurs familles et amis. J'aurais vraiment vécu, quoi...

C'est vrai que ce qu'on me donne pas, je le prends

parfois, juste retour des choses. Je me trouverais très immorale si j'ouvrais jamais les lettres qu'on me confie : puisque je suis responsable du courrier, c'est normal que je m'informe de ce que je transporte, afin de me mieux pénétrer de mes responsabilités. Je suis pas comme mes collègues de Merey-les-Bains, qui font leur métier sans sérieux, distribuant les lettres sans regarder ni la provenance, ni l'expéditeur (dont le nom devrait figurer obligatoirement sur toutes les lettres, afin de faciliter les recherches des facteurs). Evidemment j'ai jamais rien dit à personne de mes vérifications, sauf à Philomène, et à Germaine, qui m'a bien conseillé de surtout pas en parler à mes collègues parce que, selon elle, travailler ensemble ça fait déjà une bonne raison pour se détester, que c'est pas la peine d'en rajouter. J'ai même des illusions de courrier quand je garde une lettre. Je la caresse d'abord, j'apprends l'écriture de l'adresse, cherchant à deviner si c'est un homme ou une femme qui écrit ; je la soupèse pour savoir si y'en a long — mais ça dépend aussi de l'épaisseur du papier, de la grandeur de l'écriture, de la qualité de l'enveloppe : avec ou sans doublure ; alors, des fois, je me trompe, ça me fait une cagnote parce que je fais des paris avec moi-même : si je gagne je me récompense tout de suite d'un carambar à l'épicerie, si je perds, je mets un franc dans une tirelire, que je vide seulement quand ça fait la somme pour une boîte de croquettes au praliné — je la respire, parce que les lettres ça a toujours une odeur, seulement le papier des fois, et ça fait déjà plusieurs odeurs ; le crayon feutre, ou l'encre, ou le stylobille, et puis le parfum de celui qui écrit s'il se parfume, son tabac s'il fume — c'est la pipe que je préfère — j'apprends aussi, avec mon nez, s'il était malade — c'est fou ce que ça imprègne, le médicament — ou s'il pleuvait ce jour-là, s'il a écrit cadenassé dans une chambre ou au soleil d'un jardin. Bref : avant d'ouvrir, je sais déjà plein de choses. Et alors, c'est le grand moment : je décolle l'enveloppe à la vapeur, que c'est un sacré risque quand c'est écrit à l'encre parce que ça détrempe l'écriture — je ne fais ça que les jours de pluie — je la lis enfin, je la relis, je la recopie sur un cahier si je la trouve belle — c'est les lettres d'amour que je préfère — et puis je la replie, bien comme elle était, je la remets dans l'enveloppe, que je recolle avec mon petit pinceau et ma colle blanche.

Aujourd'hui, je me suis gardé une lettre pour Perduvent, que, vu son désappointement à chaque distribution, je soupçonnais d'avoir une liaison. J'ai cru que c'était d'une dame à cause du nom de l'expéditrice : La Muse Clio, mais j'ai dû confondre :

Cher auteur,

Nous avons le regret de vous renvoyer votre manuscrit.

Nous lui reconnaissons toutes les qualités commerciales qui permettraient son édition, à savoir un souci du détail piquant, de l'anecdote grivoise qui plaisent tellement mieux au public que les vérités austères.

Nous reconnaissons également que certains pseudo-historiens ont brillamment réussi dans cette voie de la

« petite histoire » où vous vous engagez, mais nous ne pouvons nous permettre de vous publier (même à vos frais comme vous le proposez), du fait que votre ouvrage fourmille d'erreurs et de négligences, et n'est souvent qu'une compilation éclectique et inexacte, une mauvaise redite d'œuvres critiques déjà existantes.

Tout est à revoir. Peut-être aurait-il mieux valu choisir un autre exemple que Cicéron pour traiter de l'amour antique.

En espérant que vous tiendrez compte de nos quelques modestes remarques et que vous nous réserverez vos prochains écrits s'ils s'améliorent, nous vous remercions de la confiance que vous avez bien voulu témoigner à notre maison dans le pénible moment de faillite qui la menace. En supposant même, comme vous le faites, que votre livre aurait pu connaître quelque succès, le bénéfice que nous en aurions tiré n'aurait pas comblé le déficit des procès que nous auraient intenté les universitaires auxquels vous faites référence sans citer vos sources.

Le Comité de lecture

P.S. Nous vous renvoyons votre manuscrit en un seul paquet, par l'intermédiaire de la S.N.C.F. (il sera à prendre en gare de Mouchard), car il dépasse les trois kilos autorisés par les P.T.T.

J'avais assez mal recollé l'enveloppe, mais Perduvent était tellement anxieux d'en lire le contenu qu'il ne s'est aperçu de rien. Il est sûrement fatigué par l'afflux des touristes, les préparatifs de la kermesse et

sa crise de foie (des suites de la poule), car il a dit :
« Ah ! les cons ! », mots que nul ici n'avait jamais
entendus dans sa bouche.

Il a baissé le store de sa vitrine et fermé la porte de
son magasin, sur laquelle il a ensuite collé une grande
affiche : « Grève illimitée. Pour les livraisons : passez
par le couloir, pour les répétitions : allez vous faire
foutre. »

Tout Saint-Crépin est en effervescence depuis.
« Lui si calme, si pondéré, qu'on me dit partout, si
gentil... tu es vraiment sûre qu'il a dit : Ah ! les
cons ? C'est impensable... Et sur sa porte, t'as bien
lu ?... Ah ! Faut que j'aille voir ça... Qu'est-ce qu'a
pu le mettre dans un état pareil ?... T'as pas idée des
nouvelles que tu lui portais ? »

J'avais bien idée, mais je pouvais rien dire, liée par
le secret professionnel. Du coup, dispensée de répéti-
tion, je mets à profit ma soirée libre pour aller
espionner le receveur. M'a bien intrigué à la poule : il
parlait qu'à Jean-Marie, que ça avait l'air d'ennuyer.
Peut-être qu'il a lu ses livres ? Ou peut-être qu'il se
renseignait pour savoir si Jean-Marie avait des intentions sérieuses avec Germaine ? Mais est-ce qu'il
connaît Germaine, le receveur ? Si oui, les carottes
sont cuites pour moi...

Mon système correspond bien à ce que j'en attendais : mon vélo posé contre l'arbre et maintenu à lui
par mon tendeur, j'ai plus qu'à grimper debout sur
l'engin, un pied sur la selle, l'autre sur le porte-
bagages (pour équilibrer la portée), et une fois là, j'ai
vue sur la fenêtre de la chambre de M. Bléfour.

J'arrive au bon moment : il se déshabille. Qu'est-ce qu'il est moderne : il a des sous-vêtements exactement comme ceux que j'ai vus sur mon catalogue printemps-été de la Redoute. Jaune serin sur sa peau bronzée, c'est vraiment joli. Si je veux être à la hauteur, va falloir que j'abandonne mes petites chemises en thermolactyl. Je demanderai à Germaine où elle se fournit en lingerie. Peut-être qu'elle m'accompagnera pour me conseiller et que la marchande me fera un prix ?

Ah ! ben, c'est pas courant comme façon de dormir : au lieu de mettre son polochon sous sa tête, il le met contre lui, parallèlement, et il le berce. Il est donc tout à fait prêt pour le mariage : il a déjà l'instinct paternel. Ou peut-être qu'il est aussi orphelin et qu'il se raconte des histoires ? J'en ai assez appris pour ce soir, je vais rentrer noter mes indices... Mais va-t'en donc, sale chien, laisse-moi descendre de mon vélo... Ah ! n'aboie pas. T'auras un su-sucre demain... Sois pas idiot : je suis Mado, la factrice. Tu me reconnais pas, sans ma casquette ? C'est bien ma veine, Charron veut me bouffer parce que j'ai une casquette, et celui-là parce que j'en ai plus ! Moi je sais bien qui tu es pourtant : tu t'appelles Dingo, de la ferme des Boussicaud. Et celui qu'arrive derrière, c'est Nénesse, de chez Tatin... Ah ! Non : pas trois. Vous allez la fermer, oui ?... Oh ! la ! la, qu'est-ce que je vais devenir ?... Manquait plus que toi, Médor : qu'est-ce que tu fais là ? Tu t'es encore sauvé ? Et si Ramona elle met bas cette nuit, qui c'est qu'ira chercher le vétérinaire de Merey avec un papier dans le collier si tu y es pas ? T'as pas honte, non mais vraiment ? T'as fini d'ameuter tous les autres ?... Et pas un chat pour détourner leur attention... Si je miaulais pour les déconcerter ? Je pourrais profiter de leur surprise pour décamper. Peut-être même que si j'imite le miaulement des chattes en chaleur, y'aura un matou qui passera par là et qu'entraînera tout ce casernement ? Essayons...

Je m'applique tellement à miauler amoureusement, avec toutes les reprises du fond de la gorge, que j'entends même plus le tumulte, dominé par mes vocalises félines (que c'est à s'y tromper).

« Mais qu'est-ce que c'est que cette cinglée qui s'amuse à faire gueuler tous les cabots du quartier ? Allez, couchés les chiens. Et vous, descendez de là ! »

Jamais silence ne me parut plus pesant... Et je suis pas descendue de mon vélo aussi fièrement qu'une danseuse de revue de son escalier. J'ai eu beau m'excuser :

« C'est un jeu de la région : y'aura un concours à la kermesse. Le premier prix c'est une portée de chats », mon chef ne décolère pas, et je le quitte sans m'être réconciliée avec lui. Il rouspète même après toutes les femmes en général, comme si les autres y étaient pour quelque chose. Quelle idée j'ai eue ! Et maintenant, va falloir convaincre le curé d'une nouvelle attraction pour la fête, et trouver des chatons pour le lot...

Ça va de plus en plus mal avec le receveur : il ne se contente pas de bousculer les traditions dans son lit, il s'en prend maintenant à nos habitudes sur le lieu de travail, et c'est plus ennuyeux, car si on fréquente pas le même lit, on fréquente bien la même poste... Aujourd'hui, c'était mon jour de lessive hebdomadaire. Comme la pluie n'avait pas cessé — une semaine que ça dure ce temps pourri, c'est-y pas malheureux pour les vacanciers — je pouvais pas faire sécher dans le jardin des Le Gal. Alors, je suis allée au bureau de poste, comme je fais toujours par mauvais temps, pour étendre dans la pièce de derrière.

M. Bléfour s'est d'abord arrêté de compter quand il m'a vue passer le guichet avec mon seau de linge mouillé. Il m'a laissée tendre mon fil entre les deux radiateurs, puis il a explosé à la première pince sur la première petite culotte :

« Qu'est-ce que c'est encore que cette nouvelle invention ? Passe encore qu'on transforme la poste en salon de lecture ou en magasin de fleurs, mais pour la blanchisserie, c'en est trop ! Dehors ! Et plus vite que ça ! »

Sa colère décuplait tellement sa force quand il m'a poussée dans la rue, que j'en ai raté la marche et que je me suis affalée dans le ruisseau, mon seau retourné, mes culottes flottant dans le caniveau. Le chien de la boucherie a cru que c'était un jeu, il s'est enfui avec le bâtiment qu'était en tête de la flotte. Comme j'étais à pied, j'ai pas réussi à le rattraper. Je l'ai vu passer deux ou trois fois depuis, avec le fruit de son vol entre les crocs. Heureusement, jusqu'à présent, personne a remarqué ce qu'il a dans la gueule, la pluie faisant fuir le groupe de pépés qui se tient ordinairement sur le banc, au bord du pont. Mais tout de même, j'ai bien du chagrin : j'ai complètement perdu l'estime de mon chef, et ma meilleure culotte. Je crois que je peux aller rendre mes livres au bibliobus, dont c'est le jour de passage.

J'arrive au milieu d'une discussion animée entre le bibliothécaire, Jean-Marie et Perduvent :

« De gestibus et coloribus non disputandum.

— ... surtout les souvenirs d'acteurs, d'hommes politiques.

— Beati pauperes spiritu.

— Je viens vous rendre *La cuisine de chez nous* et...

— On ne publie que de la merde depuis quelques années. Avant, on écrivait, puis on était connu, maintenant, il faut être connu d'abord.

— Ars longa, vita brevis.

— ... et *Les contes de ma mère-grand*...

— On ne lit plus les auteurs anciens : Cicéron, Sénèque, Tacite...

— ... et aussi *Savoir danser en dix leçons.*

— De la merde : il n'y est plus question de l'écriture, mais de l'écrivain. Ce n'est pas le meilleur livre qui sera vendu mais le meilleur cabot. »

Pourvu que le chien de la boucherie vienne pas tourner dans le secteur. J'entends aboyer...

« Asinus asinum fricat.

— ... vendre l'écrit pas l'oral : une aberration...
L'inflation de la parole...

— ... les prix ?

— Quand on dit latin, les gens pensent Astérix.
Aura popularis.

— De la merde : du commerce, toujours du
commerce... »

Qu'il est grossier Jean-Marie, aujourd'hui. Il doit
s'être disputé avec Germaine.

« Je n'ai que les livres qui passent par l'office. »

Décidément, dès qu'il est question de sous à Saint-
Crépin, ça se traite dans les cuisines...

« Les gosses m'ont surnommé Idéfix.

— En plus, vos souvenirs de vedettes, ils sont
généralement écrits par des nègres. »

J'avais lu un beau livre une fois, là-dessus : *La case
de l'oncle Tom* ça s'appelait.

« Evidemment, pas de revues comme *Po&sie,
Digraphe, L'Ire des vents, Articules* ? »

Commencent à me pomper avec leur conversation
que j'y comprends rien. Et puis, ils parlent tous
ensemble...

« Margaritas ante porcos.

— J'ai quelque chose sur les O.V.N.I...

— Dieu est mort. »

Il dit ça avec l'air d'annoncer une grande nouvelle,
Jean-Marie ; comme si on savait pas... Ça fait même
belle lurette qu'on l'a cloué.

« Felix qui potuit rerum cognoscere causas. Sed,
vous êtes bien pessimiste, cher Monsieur.

— Je doute, donc je suis. »

L'est comme saint Thomas aujourd'hui, Jean-Marie. Doit douter de Germaine. Je l'aime bien aussi saint Thomas. Moi, à sa place, j'aurais été pareille. Je crois que ce que je vois.

« Vous serez là, j'espère, cher auteur, pour le 15 août ? Que j'aie au moins une personne en mesure d'apprécier mon spectacle : les Saint-Crépinois sont tous des paléolithiques en la matière.

— Non : je dois être à Cerisy, la semaine du 13 au 20 août, pour un colloque. »

Ah ! Quel coup au cœur, Jean-Marie va nous quitter avant la fête. Je m'absorbe dans le premier livre à portée de main, pour qu'il voie pas mes joues rouges et mes yeux humides... Mais, dans mes jambes, soudain, y'a une boule de poils qui se frotte.

« Qu'est-ce qu'il fait ici, ce chien ? C'est à vous, Mademoiselle ? Et que tient-il dans sa gueule ?

— Non, c'est pas à moi, c'est le chien de la colline.

— Pour le moment, il nous joue plutôt le slip dans la vallée. »

Et ils rient tous très fort, comme si c'était comique un chien avec une culotte.

« Ah ! Messieurs, la culture, c'est ce qui reste quand on a tout oublié, disait je ne sais plus qui ; mais pas un Latin.

— Ou ce qui fait illusion quand on ne sait rien. »

J'en profite qu'ils sont tous à se gargariser pour partir discrètement, sans livre, mais avec Médor, qui me fait fête. Je sais pas si je dois l'engueuler d'avoir montré ma lingerie à des messieurs, ou le remercier

d'avoir récupéré ma culotte de la gueule du boucher... Non, de la gueule du chien du boucher... Je
sais plus où j'ai la tête avec tout ça : non seulement
j'intéresse plus Jean-Marie, mais Jean-Marie intéresse tout le monde : Germaine, le bibliothécaire —
que j'ai pas pu en placer une dans son camion,
aujourd'hui — Perduvent, le receveur. Mais qu'est-
ce qu'il a donc, Jean-Marie, que j'ai pas, pour
perturber le pays comme ça ? Parce qu'il est écrivain ?
Ça explique pas tout, quand même. Et puis, quoi,
écrivain ? Y'a pas de quoi en faire un plat. C'est un
métier de fainéant, d'abord. Tiens, qu'ils doivent se
dire le matin, aujourd'hui, je vais écrire un chapitre.
Et hop ! je te ponds ça entre le petit déjeuner et le
déjeuner, comme ça, l'après-midi, je peux jouer au
tennis, pénard. Y'a quand même plus de mérite à être
factrice : faut pédaler dans les côtes ; un vélo, ça
fonctionne pas tout seul comme un stylo. Et puis,
d'abord, je vois pas bien la différence, à part l'effort
physique : lui il écrit, moi je porte des écrits. Alors,
pourquoi qu'on me fait pas la cour comme à lui ?...
Puisque c'est comme ça, moi aussi, je vais écrire...
Déjà que j'ai des modèles avec les lettres que j'ai
recopiées et mon livre de messe... J'écrirai une
histoire d'amour. Que ça ressemblera à mon histoire
parce que j'ai pas assez d'imagination pour que ça
ressemble à l'histoire des autres, mais que ça finira
bien, parce que c'est plus beau les histoires qui
finissent bien.

Il était une fois, dans un petit village, une très
gentille factrice. Un peu grosse, mais tellement

gentille qu'on oubliait qu'elle était grosse. Et elle savait faire de très beaux ricochets. Un été, un écrivain vint vingt jours en vacances. Ils firent connaissance. Et ils se comprirent tout de suite, parce qu'ils faisaient un peu le même métier. Alors, ils devinrent amoureux. Ils se marièrent et eurent beaucoup d'enfants, que toutes les fées du royaume furent invitées à leurs baptêmes.

Ça fait pas un livre, ça... rien que six lignes. Sept si j'écris gros... Falloir que je remplisse un peu plus...

Je suis donc pas retournée à la poste les après-midi, mais à la baignade, comme du temps où M. Plantu était mon chef. Surtout qu'hier, c'était l'inauguration du nouveau plongeoir. Que tout le monde était au courant — y avait eu tant d'histoires pour le crédit de ce plongeoir — mais faisait semblant de ne pas savoir ce qui se cachait sous le drap, pendant que le maire lisait un discours, où il était question des jeux olympiques et du tourisme. Après les applaudissements, la minute de silence, et la Marseillaise jouée par la fanfare des pompiers, le maire a tiré sur le drap d'un geste théâtral. Et le drap n'est pas venu. Il a tiré une deuxième fois, toujours souriant. Puis une troisième, un peu plus crispé. Et un peu plus fort. Le drap s'est déchiré, si brutalement que le maire, surpris, est tombé à la renverse.. Ç'aurait pas été grave si, dans son dos, y'avait pas eu la rivière. Un pompier a posé sa trompette et son casque, et s'est jeté à l'eau. C'est le maire qui l'a ramené. Toute façon, ils avaient pied. Après, on a pu se baigner. Pour pas me faire remarquer — surtout que j'ai le même maillot que l'année dernière — j'ai pas voulu utiliser le plongeoir, où y'avait un vrai défilé. Mais c'était peine perdue : Sylvain Biquet m'a vue glisser dans l'eau, malgré les roseaux, et il a crié :

« Sauve qui peut les gars, y'a Mado qu'entre dans la rivière ; ça va déborder ! »

Ses copains qu'étaient en barque au milieu de la Loue faisaient semblant de chavirer. Tout le pré rigolait. Surtout que le Sylvain devant son succès, il en rajoutait :

« Noé, qu'il criait au rameur, attends donc, c'est pas le déluge, c'est seulement l'éléphante qui se trempe ! »

L'éléphante, elle a pas barri du tout, parce qu'avec de l'eau dans la trompe c'est pas facile, elle est allée barboter plus loin, vers la chute d'eau, où que personne va parce qu'y'a trop de courant et la Berthe qui surveille ses rives. Moi, Berthe, elle m'a à la bonne, parce que je lui apporte sa pension tous les mois, et que j'ai jamais dit à personne de combien elle était. Et pourtant, y'en a plus d'un qui m'a interrogée... Faut dire que la Berthe, elle est bien aussi riche que le député, mais ils vivent pas pareil : elle, elle cache, lui, il montre. Arrivée là, j'étais plus un

pachyderme, mais une petite sirène, qu'aimait le
prince Jean-Marie, qui vivait sur la terre ; je deman-
dais à ma marraine-fée qu'elle nous réunisse. Pan !
D'un coup de baguette magique ma grosse queue de
vingt kilos disparaissait, et j'avais deux jolies jambes à
la place, avec des bas comme des filets de pêcheur et
des chaussures rouges à très hauts talons, où qu'on
me voyait les ongles — qu'étaient pas incarnés
comme dans la réalité — et que j'avais peints en rouge
aussi. Evidemment, je chaussais plus du quarante,
mais, disons, du trente-quatre. Mon histoire, elle se
mélangeait un peu avec Cendrillon, mais, comme
disait Perduvent dans le bibliobus : « La culture,
c'est tous les restes qu'on a oubliés. » Y'avait un
grand bal, et le prince Jean-Marie, qui était tout de
suite amoureux de moi, m'invitait à danser un cha-
cha-cha. Et mes jolies jambes et mes petits pieds me
brûlaient terriblement. Je disais à ma marraine :
« Mais qu'est-ce qu'il faut faire ? T'as pas une boîte à
pharmacie ? » Elle répondait que non, qu'il fallait que
je retourne m'emmerder avec les poissons, qu'avaient
pas de conversation. Mais je voulais pas. Alors,
j'allais à Lourdes, où j'étais miraculée, parce que
j'avais jamais menti...

C'est pas comme le journaliste des *Echos de la
Loue*... Lui, il n'hésite pas à faire des paquets-
cadeaux, avec de la belle ficelle, qui m'a tout l'air
d'un mensonge :

« DRAMATIQUE ACCIDENT et bel héroïsme
dans la petite commune de Saint-Crépin-sur-Loue,
bien connue des pêcheurs de truites. M. Crevant,

maire actuel et ancien directeur d'école, présidait hier
la sympathique petite fête qui devait marquer l'inauguration d'un nouveau plongeoir de trois mètres, au
lieu-dit « le Pistoulet », sur un terrain communal
longeant notre belle rivière. On remarquait, dans
l'assistance brillante (et nombreuse par ce beau soleil
enfin revenu), Mlle Blanbouillon, directrice d'école,
M. l'abbé Poindou, M. Perduvent, président du club
des Belles-Lettres jurassiennes, et d'autres figures
connues dans la région. M. le maire n'avait pas
ménagé sa verve, comme on en jugera par les courts
extraits de son discours, reproduits en page quatre de
ce journal (sous la rubrique « social et politique »). Il
ne ménagea pas non plus sa force, pour dévoiler le
chef-d'œuvre de béton ouvragé (architecte : Dupuis,
d'Arbois), et son geste, un peu vif, le fit malencontreusement choir dans le courant, assez violent à cette
boucle de la Loue. Il allait être emporté, quand
M. Marcel Roux, pompier de son état, n'écoutant
que son courage, plongea tout habillé, avec le sang-
froid qui caractérise bien son généreux corps de
métier. Après quelques minutes d'un effroyable
suspens, le vaillant sauveteur réussit à ramener le
naufragé sur la berge. Saint-Crépin en était quitte
pour la peur, et sa fête, commencée sous de si
mauvais auspices, put reprendre, dans une atmosphère plus détendue. »

Etre journaliste, c'est presque aussi beau que d'être
écrivain, finalement, faut des fois autant d'imagination. Il est plus question que de cet article, ce soir, au
lait. Le Marcel Roux pérore autant que le député le

jour de son élection. Heureusement pour lui que la photo a été prise avant qu'ils ne soient à la baille tous les deux, parce qu'en mouillettes, ils étaient moins fringants : le maire avait sa mèche tournante effondrée dans l'œil, et Marcel dégoulinait de la barbe et de la tignasse comme une lessive mal essorée ; ils grelottaient à contretemps dans leurs pantalons collés à la peau, mais ils claquaient des dents bien en mesure. Le Marcel, qui avait vraiment peur d'attraper un chaud-et-froid, est reparti chez lui en slip, mais le maire a trempé les sièges de la 4 CV de Perduvent quand celui-ci l'a reconduit se changer. Et Perduvent a l'air d'en être tout honoré de ces auréoles fessières sur ses housses... Toute façon, ça fait plusieurs jours qu'il jubile, qu'on ne sait pas bien pourquoi. C'est pas vraiment qu'il est calmé, il a seulement changé de registre : maintenant il est énervé joyeux. Y'a l'air d'y'avoir un complot avec Jean-Marie :

« Vous verrez, les Paléolithiques, qu'il dit Perduvent, il y aura bientôt un sacré pavé dans ma vitrine, n'est-ce pas, Monsieur Zerlini ? »

Jean-Marie est moins catégorique :

« Peut-être, peut-être, qu'il répond, en hochant la tête, mais je ne vous ai pas promis le succès, Monsieur Perduvent, j'ai seulement dit que j'essaierai... Vous m'avez d'ailleurs un peu forcé la main. »

C'est pas très clair cette affaire-là, car si vraiment Jean-Marie doit péter la vitrine de Perduvent avec un pavé, je vois pas pourquoi l'autre se réjouit. Ou alors, c'est une magouille d'assurance pour bris de verre...

Enfin, peu importe : l'essentiel, c'est que les répétitions aient repris. Il était temps, à dix jours de la
fête... Et maintenant qu'on a les costumes... Le mien
est très réussi ; j'aurais pas cru à ce point, au premier
essayage. Faut dire que, faute de patron tout fait (pas
ma carrure, pas ce modèle-là), Mlle Blanche en avait
taillé un tout en pages de *L'Echo de la Mode* et de
Modes et travaux, collées ensemble avec du scotch. Le
papier journal, ça donne pas bien idée. Surtout pour
le chapeau, que c'était tout mou. Maintenant, en
tarlatane recouverte de tissu comme la robe et avec
des plumes, elle a fière allure ma capeline. C'est pour
les plumes qu'on a eu le plus de mal : pas moyen d'en
trouver nulle part. Même à Besançon, où Mlle Blanche s'était rendue exprès, par le car. On avait fini par
renoncer... Et puis, dimanche, comme on savait pas
comment s'occuper toutes les deux maintenant que
les costumes sont finis, on a pris nos vélos pour aller
visiter le parc zoologique de Penans-le-Château. C'est
plein d'oiseaux en liberté. Et y'en aura encore plus le
mois prochain, il paraît, parce que quand commence
la chasse, pas fous, ils rabattent tous là-dedans, où
qu'ils risquent rien et qu'y'a à manger gratis. C'est là,
par terre, qu'on a trouvé deux belles grandes plumes.
Y'en avait une un peu cassée, mais on y a mis un
point de colle, et ça paraît plus. Je suis d'un chic avec
cette aigrette au-dessus de l'oreille gauche... On
dirait une actrice de cinéma. Et ce sera encore mieux
le jour de la fête, quand Germaine m'aura fait le
chignon sur la nuque qu'elle m'a promis, comme un
gros escargot roulé. Elle est contente, Germaine,

parce que le curé a bien voulu que ce soit elle qui vende les programmes à ma place, comme j'avais demandé. Elle aura même des esquimaux à proposer à l'entracte, comme dans un vrai théâtre. Et elle pourra bien me voir : elle a une place au deuxième rang, à côté de Jean-Marie. J'espère qu'il sera de meilleur humeur ce soir-là... parce qu'il est drôlement en pétard depuis que j'y ai porté un télégramme ! « Inscrits insuffisants colloque annulé » que c'était écrit. Et le destinataire, il a encore été grossier : « Bordel de merde ! Me fait chier ce pays de merde », qu'il a dit en lisant ça, sans faire attention que tous les gens de l'hôtel se retournaient en l'entendant jurer. C'est-y pas malheureux de si vilains mots dans une si belle bouche ? S'il cause pareil dans ses livres, c'est pas étonnant qu'on les trouve pas chez Perduvent ou dans le bibliobus. J'en étais toute peinée de le voir tellement en colère, et je pouvais rien pour lui puisque je saisissais pas bien l'importance du télégramme. Ce qui m'a remis du baume dans le cœur, c'est qu'il a tout de suite demandé à Mme Tatin s'il pouvait garder sa chambre une semaine de plus. Y'a que Philomène qui pourra pas assister à la représentation, sauf si Ramona se décide à accoucher avant. Sinon, il restera là-haut à attendre la naissance de ma cabrette. Ce serait rigolo qu'elle arrive pendant que je serai en scène. Pourvu que Ramona ne meure pas à la mise bas, comme la mère de Blanchette... Bien sûr, je lui donnerai le biberon à la petite chèvre, mais ça serait triste quand même...

Tiens, à propos de biberon, faudrait peut-être que

je me rentre le mien ? Ça fait une heure qu'il est dans ma laitière, le lait acheté à la fromagerie ; il finirait bien par tourner, comme le jour où il y a eu de l'orage. Faut dire que j'aime bien traîner ici, à cette-heure-là, avec l'odeur de vache et de fromage sur tout le quartier, parce que c'est à la fois l'heure où on rentre les bêtes et que la fromagerie ouvre. Toute la jeunesse est rassemblée, assise sur le rebord du pont, qu'est tout chaud du soleil de la journée. On a les pieds au-dessus de nos bidons, que les mères peuvent attendre un moment, sur le pas des portes où elles ont tiré leurs chaises pour discuter à l'aise avec les voisines, tout en continuant les tricots pour l'hiver. On discute des potins de la journée, on demande des nouvelles des malades et des enfants qui sont partis en vacances, des vieux qu'on a mis à l'hospice parce qu'ils commençaient à pisser sous eux et que les gens aiment mieux un matelas propre qu'un parent sale. C'est là aussi que, des fois, commencent les histoires d'amour, dans le coucher de soleil sur la rivière et le chuintement de l'eau contre la ruine de l'ancien pont. Quand on a construit le nouveau, qui est plutôt vilain, on a laissé une arche du vieux, les maquisards ils avaient fait sauter les trois autres pendant la guerre. C'est un pont historique, un roi ou un empereur serait passé dessus, mais j'ai jamais su lequel. Faudrait que je demande à Mlle Blanche... L'heure du lait, c'est un peu comme une messe du soir. Sauf que si c'était vraiment une messe, y'aurait moins de monde. Et les morceaux de comté dont on se gave, parce que on y va juste pour la fin du repas, c'est quand même meilleur que les hosties, et ça implique pas d'être confessé.

La nuit est tout à fait tombée cette fois. Faut vraiment que je rentre. Même Marcel est parti, avec sa découpure de journal dans sa poche, parce que y'avait plus que moi comme public.

J'ai bien réfléchi au problème du journalisme hier soir, et je crois, comme Maurice Ramot (qui vend l'*Humanité-Dimanche* à la sortie de la messe), que « la presse a un pacte capital sur l'avenir d'une nation ». En conséquence de quoi, je vais faire publier, dans *La Gazette jurassienne* et *Les Echos de la Loue,* une petite annonce matrimoniale, qui aura un pacte capital sur mon avenir :

« Jeune fille sérieuse, un peu forte, ayant beaucoup souffert, cherche, vue mariage, homme catholique, mais affectueux. Age indifférent, physique indifférent, situation indifférente ; aimant les animaux et les levers de soleil sur la rivière. »

Et, sur ma lancée — à force de trimbaler des lettres depuis des années, ça donne idée — j'ai écrit à la dame du courrier du cœur d'une revue féminine :

« Chère Madame (que je vous connais pas, mais que je demande que ça), je vous écris pour vous demander conseil. D'accord, je pèse quatre-vingts kilos, mais mon cœur aussi fait ce poids-là, alors certains jours c'est bien difficile d'être toute seule à trente ans. C'est pas que y'ait pas de célibataires ici, mais je crois qu'ils me connaissent depuis trop longtemps : Germaine, qui est ma copine, elle dit que, pour l'amour, faut un peu de mystère. Quoique si on réfléchit bien, j'en ai du mystère, puisqu'on ne sait pas d'où je viens. C'est peut-être pour ça, qu'à Saint-Crépin, ça marche pas avec les célibataires, que leurs familles auraient peur d'une mésalliance. Alors, j'ai tenté ma chance avec deux qui n'étaient pas de la région : mon chef à la poste, puisque le précédent est parti à la retraite, et un monsieur en vacances au Grand Hôtel. Pour le nouveau receveur, je vous dis tout de suite : ça n'a pas marché, à cause d'un chat qu'était pas un chat, et de ma lessive, que j'avais pourtant prié sainte Austreberthe, la patronne des lessiveuses. C'est pas la peine que je vous raconte en détails, parce que ça peut plus se rattraper cette situation-là. Quant à l'autre, qui est un jeune homme très bien, malgré qu'il est de Paris, je crois que c'est fichu aussi, mais j'ai plus de mal à y renoncer. On était bien copains, mais, maintenant, je crois qu'il est amoureux de ma copine. Peut-être que je suis un peu coupable parce que c'est moi qui lui ai conseillé d'aller la voir. Mais je l'envoyais en tant que client — elle a un commerce, ma copine —, pas pour qu'il passe derrière le comptoir. Pourtant elle veut pas se marier, alors que moi je ne demande que ça. Mais elle est belle, elle, et pour les hommes, je crois que ça compte. Même s'il y en a une bien gentille qui les fait rire dans l'ombre, ils préfèrent aller se brûler au soleil de celle qu'aura les cils en baldaquins, les cheveux comme du sable, et les fesses qui remuent autant que de la gelée de groseille. C'est vrai, Madame, que le cœur des hommes passe souvent par leur braguette ? Qu'est-ce que je peux faire contre ça ? »

J'ai signé Marie-Jeanne Lambert du Haut-Plessis — un nom que j'avais vu dans un roman-photo chez le dentiste — parce que ça me semblait plus chic et plus digne d'intérêt que Mado des P.T.T. ; j'ai joint un billet d'entrée à prix réduit pour la kermesse dans chaque enveloppe, et j'ai posté le tout avant de monter aider M. le curé à faire le ménage de la chapelle de la Vierge, dans le bois de la colline.

« Bonjour, Monsieur l'Abbé. Faut excuser mon retard : j'avais affaire à la poste.

— Ton retard ? Mais il est trois heures.

— Justement : je suis à l'heure, et pas en avance, ça veut dire que je suis en retard puisque quand je suis en avance, c'est que je suis à l'heure, et que quand je suis à l'heure, c'est que je suis en retard. Donc, puisque je suis pas en avance, c'est que je suis en retard. »

Il insiste pas et continue à briquer l'autel pendant que j'attaque la poussière des statues. A l'entrée, c'est la Vierge au nourrisson, toute souriante, et sur le mur de droite, c'est une Madone triste, avec son fils mort dans les bras. On la voit jamais représentée à d'autres épisodes de sa vie. Pourtant, il a bien dû lui arriver des tas de trucs entre les deux. La première dent de Jésus, sa rougeole et sa varicelle, son carnet scolaire. Ah ! si, des fois, on la voit retrouvant Jésus après la fugue qu'il avait faite pour aller dire aux profs qu'il en savait plus qu'eux. C'est pas pour critiquer, mais je me demande s'il n'était pas un peu prétentieux par moments. Moi, si j'avais fugué, ç'aurait été pour cavaler dans les bois. Je me serais fait une cabane de branchages, et j'aurais joué aux Indiens. C'est idiot ce que je dis, parce que si j'avais eu des parents, j'aurais pas fugué : je leur aurais jamais fait de chagrin. Surtout que Marie elle devait être bien douce. Il n'avait pas pitié d'elle, Jésus. Le Joseph il était dévoué aussi, parce qu'il a évité à Marie d'être fille-mère : à l'époque ça aurait sûrement fait scandale. Y'a qu'à voir encore aujourd'hui, ici, la bonne des Armando. Même si Marie avait dit : « D'accord, je suis fille-mère, mais pas de n'importe qui : du Bon Dieu », c'aurait été tout pareil, on aurait cru qu'elle disait ça pour faire passer la pilule et ne pas se faire engueuler par sainte Anne. Quand j'étais petite, je croyais que Dieu-le-Père c'était saint Joseph, parce que je comprenais pas bien la différence entre « père » et « père nourricier ». Et c'est pas les religieuses qu'auraient donné des détails. Déjà qu'elles ne supportaient pas que le jardinier travaille en short. Maintenant, je sais, et je plains bien Joseph. Dans le fond, c'est peut-être ça mon histoire : ma maman était enceinte, mais mon papa pouvait pas l'épouser à cause de sa situation importante, c'était un prince, ou un député, ou un amiral, et comme y'a pas eu de Joseph pour se dévouer, ma maman elle a pas eu le courage de m'élever toute seule — que la Sainte Vierge elle aurait peut-être pas eu le courage non plus —, elle m'a abandonnée. Je lui en veux pas. Mais j'aimerais bien la retrouver quand même. Maintenant que je suis élevée, elle voudrait peut-être de moi ; elle aurait qu'à dire que je suis une lointaine cousine. De toute façon, si Jésus est mort sur la croix, c'est parce qu'il n'avait pas été assez gentil avec ses parents. Bien sûr, les sœurs et le curé, ils le disent pas, ça fait mieux qu'il soit mort pour nous qu'il connaît pas.

Mais je suis persuadée que c'est une histoire de famille, en fait, et que moi j'irai au paradis quand je mourrai, parce que mon chemin de croix, je l'aurai fait sur la terre, sans Marie et sans Joseph... Je me serais contentée d'avoir seulement un frère, pourtant. Un grand frère bien sûr. On se serait écrit quand on aurait été loin l'un de l'autre, on aurait été émus quand on se serait retrouvés. Et puis, évidemment, quand je me serais mariée, c'est lui qui aurait été mon témoin. Et mon grand frère et mon mari, ils seraient devenus comme des frères aussi. Ils seraient allés à la pêche ensemble. Quoique j'aime pas les pêcheurs. Quand j'en vois sur le bord de l'eau, qui sont tellement fiers des pauvres poissons qui agonisent dans leur panier, j'ai envie de les pousser au jus et d'y remettre leurs prises avant qu'elles ne soient crevées. Pour les chasseurs, c'est encore pire : rien que de savoir qu'ils existent, ça me fait mal. C'est comme pour les manteaux de fourrure. Mlle Blanche et moi, on rate pas une émission sur les animaux, alors, évidemment, on en a appris des choses qui donnent envie de vomir : que pour les astrakans, par exemple, faut des bébés, alors on fait courir les brebis enceintes jusqu'à ce qu'elles avortent, ou on leur coince le

ventre entre deux planches, pour le même résultat ;
et, une fois, on a vu du braconnage de tigre en Inde :
pour pas abîmer la peau, ils l'ont mis vivant dans une
cage assez petite pour qu'il ne remue pas, et avec une
barre de fer rougie au feu ils y ont crevé les poumons,
par le trou du cul ; et y'a pas que dans les pays
pauvres : au nord du nord de l'Amérique, ils ont des
chiens de traîneaux, qui les tirent avec bien du
dévouement pendant des années, et ces chiens-là,
quand ils ont des rhumatismes, qu'ils commencent à
traîner la patte et à vieillir on les pend, ça dure des
heures, ils souffrent beaucoup, mais, comme ça, le
poil est bien hérissé, c'est plus beau pour faire un
manteau. Qu'est-ce que vous dites, mon cher, de la
belle fourrure que je me suis offerte ? Ah ! Madame...
un bien beau cimetière. Faut pas me raconter qu'elles
savent pas les élégantes de la ville, puisque moi, au
fond de ma campagne, je sais. Pour que ça se vende
mieux, quand c'est du chien, on dit que c'est du loup,
parce que, des fois, les mémères à moumoute, c'est
aussi des mémères à chien-chien. Tandis que le loup,
comme ça fait peur depuis le petit Chaperon rouge...
Paraît que le Président, il chasse le loup quand il va
en voyage, ou l'éléphant, ou n'importe quoi d'autre.
Faut pas voter pour lui à cause de ça. « Mais son
concurrent aussi, il chasse, alors faut voter écologiste », qu'elle m'a soufflé, Germaine, et j'ai fait
comme elle disait parce que je l'écoute toujours. Mais
je le dirai à personne comment que j'ai voté, parce
que, ici, au dépouillement, y'avait qu'un bulletin
écologiste, que tout le monde a bien rigolé et s'est

demandé qui c'était le fada qui avait fait ça. Forcément : à Saint-Crépin, ils sont tous chasseurs ou
pêcheurs. Moi, je peux même pas tuer une guêpe.
C'est pas méchant une guêpe : ça pique que pour se
défendre, quand on leur file des coups de torchon et
qu'on vise mal, ou quand elles sont coincées dans les
plis des vêtements. Y'a guère que les moustiques que
j'écrase au plafond avec mon chausson le soir avant de
me coucher ; mais là, c'est de la légitime défense.
Bien sûr, si mon grand frère, ou mon mari, ou
quelqu'un que j'aimerais beaucoup, était chasseur ou
pêcheur, je dirais rien non plus, je garderais ça dans
mon cœur, parce que, des fois, les principes et les
amours ça se concilie mal. On a quand même le droit
de pas être tous pareils. Même si les différences, elles
font dans nos cœurs un peu comme les clous dans les
mains de Jésus...

« Nous ne publions dans nos pages que les annonces accompagnées d'un chèque. Le tarif de la ligne est
de quinze francs » : voilà à peu près ce qu'ont
répondu *La Gazette jurassienne* et *Les Echos de la Loue*
à mes demandes d'annonces. Je trouve bien malhon-
nête d'exiger du client qu'il paie avant d'être servi.
Chez mon boucher, je règle quand j'ai la marchandise
en main, je pensais donc payer les journaux qu'au
sortir de la mairie, le jour de mon mariage. J'avais
même l'intention d'indemniser les prétendants évin-
cés. Mais puisque c'est comme ça, je vais me

débrouiller toute seule, comme d'habitude. J'ai acheté des feutres de couleur et un rouleau de papier craft chez M. Perduvent, dans lequel j'ai découpé (pas dans M. Perduvent, dans le rouleau) des affiches de cinquante centimètres sur trente. J'y ai recopié le texte de mon annonce, allongé de deux lignes : « S'adresser à la sortie des artistes au gala du 15 août, à Saint-Crépin. Apporter une boîte de chocolats (fourrés au praliné si possible) pour être reconnu. » La portion de la route nationale qui va de Merey-les-Bains à la bifurcation de la départementale de Saint-Crépin est d'environ cinq kilomètres deux cents ; divisé par zéro kilomètre cinq cents, ça fait cent quatre. Mais cent quatre arbres ou cent quatre intervalles entre les arbres ? J'ai jamais compris ça, à l'école. De toute façon, dans mon rouleau, j'ai pu faire que cent affiches ; je sauterai les quatre ou cinq arbres qui auront le moins de feuilles : ceux sous lesquels mes papiers seraient le moins à l'abri des intempéries. J'ai mon marteau ? Mes clous ? Mon sandouiche pour la route ? Tout y est, j'ai plus qu'à partir. J'ai calculé que je devais pas mettre plus d'une minute à parcourir la distance entre deux arbres, et pas plus d'une minute trente à clouer mes affiches si je veux être rentrée pour l'heure de la soupe. J'aurai pas le temps de passer au Donjon. Dommage : j'aurais donné une affiche au gardien ; d'une pierre deux coups : ça l'informait de mon état, et je faisais un plein de touristes.

Quant à la réponse de l'hebdomadaire féminin, elle était gratuite, mais m'a rien appris :

« Perdez vingt kilos, portez des escarpins, coupez-vous les cheveux, maquillez-vous. »

La vie est dure... Et ce bout de côte aussi. Heureusement, c'est le dernier avant Merey, je ferai le retour dans le sens de la descente, avec des stations à chaque arbre... Je pourrais peut-être tout de même me faire teindre en blonde ? Mais est-ce que le coiffeur teindra aussi ma moustache ? Est-ce que ça m'irait un chignon relevé ? Aïe ! mes doigts... Voilà ce que c'est de penser à autre chose en tapant sur des clous... J'ai comme qui dirait une petite faim. J'ai fait vingt-sept arbres, je peux m'accorder un répit. J'ai une souche confortable pour m'installer, deux arbres plus loin.

Quelle belle journée, le ciel est aussi bleu que les yeux de Jean-Marie, ça sent bon le foin coupé et le goudron tiède. Une libellule s'est posée sur mon guidon, et des papillons dansent autour des marguerites du fossé. Si je faisais un bouquet pour Jean-Marie ? A Paris, on doit guère trouver de fleurs dans les caniveaux. Il paraît même que c'est assez sale, surtout l'hiver avec la gadoue. Ici, à ce moment-là, on vit dans la meringue craquante, et j'ai bien du plaisir à faire ma tournée sur la route des sapins. Dans les fermes on m'offre du vin chaud et on prend le temps de me causer, parce que quand y'a plus de travail aux champs, l'hiver, on a de la liberté pour les civilités. Et les gamins m'appellent pour terminer leurs bonshommes de neige. C'est seulement s'ils veulent y mettre ma casquette que ça se gâte...

Cré nom ! Six heures, faut que je me presse...

Tiens, ça serait-y déjà un acquéreur éventuel ? Une voiture s'est arrêtée devant ma première affiche, là-bas, à l'entrée de Merey. Une voiture bleu marine, avec une grande antenne courbée. La v'là qui redémarre et se dirige vers moi. Oh ! la ! la ! Et moi qui ne suis pas en beauté, avec mon pantalon de survêtement et ma blouse. Il aurait pu attendre pour se présenter : j'aurais été plus à mon avantage dans mon costume de scène. Curieux, ils sont plusieurs dans la voiture... J'ai le cœur qui bat... ils sont plusieurs, et en uniforme, même. Ça alors... j'aurais jamais pensé que j'épouserais un gendarme. Faut se faire une raison. Tous les deux fonctionnaires, ce sera bien, pour la retraite...

« Vos papiers ?... Non, je n'ai pas dit « vos affiches », j'ai dit « vos papiers ». D'identité... Ah ! vous ne les avez pas ? Allez, Edouard, embarque-moi ça au poste... Votre vélo ? Mais il sera très bien sur la galerie. »

« Allô ? La mairie de Saint-Crépin ? Ici le brigadier Merlin. Mes hommes m'ont amené une cinglée sans papiers, qui dit être factrice chez vous. Je vous donne son signalement : grosse — très grosse même — brune, un mètre soixante-dix environ, z'yeux... z'yeux... enlevez votre mouchoir que je voie... Z'yeux marron. Paraît plus stupide que dangereuse. C'est bien ça ?... Bon, d'accord : on la relâche... Qu'est-ce qu'elle faisait ? Ah ! Vous allez rire, Monsieur le Maire : elle placardait une annonce matrimoniale sur les platanes de la nationale. Vous pensez : avec Monsieur le Préfet qui passe par là demain...

Mes respects à votre dame ; au revoir, Monsieur le Maire. Excusez-nous pour le dérangement, mais vous savez, avec tout ce qu'on voit maintenant... »

Ah ! Je suis pas fière sur la route du retour... Pourvu que le maire ne dise rien... Surtout que c'est demain la fête, mon jour de gloire... Le bouquet pour Jean-Marie, il est déjà fané. Les clochettes mauves se sont toutes ratatinées, comme moi au commissariat tout à l'heure ; et les marguerites ont le pétale flasque autant qu'une robe de mariée après une nuit de bal. Ça asphyxie, les fleurs, sans eau. Comme les cœurs sans amour. Quoique moi, l'asphyxie, ça serait plutôt par le trop-plein. A force d'aimer tout le monde comme ça, j'ai bien le poumon du sentiment qui va finir par péter... La factrice est morte éclatée, qu'on dira... Comme la grenouille de la fable du bœuf. Ça peut plus durer... Me faut une solution... J'ai tout essayé... Me reste plus que la prière. J'aurais commencé par ça si j'avais été religieuse. Mais si j'avais été religieuse, j'aurais pas cherché de mari.

Je vais aller faire la causette à mes saints, avant de dormir. Qu'ils me protègent demain. Qu'on ait beau temps pour la kermesse.

Saint Antoine de Padoue, vous qui nous retrouvez tout, vous qui m'avez retrouvé la petite culotte que m'avait volée le chien du boucher, retrouvez-moi mon insouciance...

Aïe ! Aïe ! Aïe ! Qu'est-ce qu'ils sont durs aux genoux, ces prie-Dieu. Bon saint Antoine, ça vous ennuie que je prie assise ? Tout est changé depuis que Jean-Marie est arrivé au Grand Hôtel et que

112

M. Plantu est parti de la poste. Je vais prendre le courrier avec terreur — moi qui arrivais toujours joyeuse à mon travail — et je le distribue avec précipitation — moi qui traînais tellement — pour arriver plus vite au Grand Hôtel. Choupinet doit croire que j'aime plus son anisette. Pourtant, elle est de qualité. Et je peux pas lui expliquer. Y'a qu'à vous que je peux raconter mes cauchemars. Parce que j'en rêve même la nuit, vous savez... Pas plus tard qu'hier : j'étais un oiseau, et je volais tranquillement au-dessus de Saint-Crépin. Y'avait mon ombre, en dessous, qui dansait dans les prés, et qui rigolait à la surface de la Loue, parce que les poissons lui chatouillaient le ventre. C'était très agréable, tout ça, comme sensations. Quand j'arrivais au-dessus de Sainte-Marie-des-Bois, que mon ombre, farceuse, elle en faisait tinter la cloche, deux chasseurs embusqués me tiraient dessus et me blessaient. Je tombais à leurs pieds. J'avais mal. Et, en arrivant là, sur leurs godasses, je les reconnaissais : c'étaient Jean-Marie et le receveur. « Oh ! la belle bécasse », qu'ils disaient, en me mettant dans le carnier du receveur. Que c'était mon sac à courrier. Et je mourais tout doucement, en brouillant toutes les écritures de toutes les lettres avec mon sang. Je ne souffrais plus, mais j'étais triste, parce que je pensais que personne ne pourrait plus lire sa lettre avec tout ce rouge partout. Jean-Marie disait que c'était beau comme un opéra. Je me suis réveillée quand ils m'ont mise à cuire. Et j'étais tout en sueur, parce que, avant, ils m'avaient plumée, soigneusement, plume après

113

plume, pour remplir le polochon du receveur, qui était dans le lit de Germaine. A ses côtés, dans deux grands fauteuils pourpres, y'avait Perduvent et le bibliothécaire, qui lui lisaient un livre, pour l'endormir. Une phrase en latin, une phrase en français, un peu chantées, à voix presque basse. On aurait dit une belle messe funèbre. Elle était magnifique, Germaine, toute nue dans l'obscurité, avec seulement, de temps en temps, sur sa peau, le reflet des flammes de la cheminée, où que j'étais embrochée... Qu'est-ce que je disais, déjà ? Ah ! oui : Grand saint Antoine... Quel silence ici... Y'a des jours où je me demande si y'a bien quelqu'un...

Et les jours de panne d'électricité, quand la petite lumière rouge est éteinte, est-ce qu'Ils sont encore là ? Ou est-ce qu'Ils attendent que le courant soit rétabli ? Si vous pouviez vous incarner de temps en temps, statues de plâtre, ça nous rassurerait... Allez, je ferme les yeux, et quand je les rouvrirai, vous serez là... Rien qu'une minute... Avec votre sourire angélique, vos yeux au ciel (ce que ça doit être fatigant d'être saint : toujours marcher en regardant en l'air), votre robe de bure et votre agneau si triste. Je compte jusqu'à dix... Un... deux... trois...

Dix... Alleluia : Il sera là. J'ouvre les yeux.

« Ah ! Monsieur le Curé : c'est seulement vous ?

— Euh... oui... Qui attendais-tu ? Je viens fermer l'église pour la nuit. »

De Sainte-Marie-des-Bois, qui sentait encore l'eau de Javel en début de messe, n'émane plus maintenant que le parfum de l'encens et des pétales de roses qu'ont répandus et piétinés les enfants dans l'allée centrale. Les paroissiens goûtent le plaisir d'être assis : M. le curé commence son prêche, qui sera comme chaque quinze août, son plus beau de l'année.

« Mes chers frères, mes chères sœurs. Car je ne vous oublie pas mes chères sœurs, bien que l'année de la femme soit passée. La Femme, c'est Marie. Et Marie-Madeleine aussi, incarnée à Lyon, il y a quelque temps, et peut-être plus près de vous... »

Une inquiétude passe dans la première rangée, fait frémir la seconde, saute sur Mlle Phrasie qui fait une fausse note à l'harmonium, contourne les piliers, et revient à son point de départ pour troubler l'abbé. Il rougit et se reprend en toussant, pendant que Jean-Marie me murmure :

« Il est préoccupé d'avoir confié la vente des programmes à Germaine... »

J'entendrai plus la suite à cause du souffle de Jean-Marie dans mon cou. Son dentifrice, finalement, il doit être à la menthe. Saint Antoine, ce serait le moment, cette fois.

« Saint Antoine, mes frères, m'est apparu cette nuit. »

Un nouveau frisson passe dans l'assemblée et dans

115

mon dos. Y'a pas de doute : saint Antoine m'a entendue, mais y'a eu des interférences sur la ligne quand il a voulu répondre puisque c'est l'abbé qui a eu la communication. Les postiers sont toujours les plus mal servis.

« Il est resté un long moment sans parler, les yeux levés vers son Créateur. Puis il m'a dit : « Je fatigue », avant de s'évanouir dans le néant de mon sommeil. Oui, mes frères : les saints, la Vierge et Dieu fatiguent de vos infidélités. Vous êtes tous là aujourd'hui, mais combien étaient à la messe du village dimanche dernier, et combien y seront dimanche prochain ? »

Là, il s'est encore troublé car son regard est tombé sur le député qui avait toussé au premier rang. Décidément, il gaffait l'abbé. Parce que le député, on le voit qu'à l'office du quinze août. Poindou s'est raccroché comme il a pu, en tournant la tête vers le bout du rang, où était Choupinet :

« Et combien, pieux ce matin, seront ivres ce soir ? C'est une fête religieuse aujourd'hui, avant toute chose, mes frères, ne l'oubliez pas ; une fête sacrée, dont la kermesse n'est que l'expression joyeuse et populaire, mais non l'essence véritable. »

Son regard avait viré sur le garagiste :

« L'essentiel est intérieur. Regardez en vous à cette occasion, pêcheurs. »

A cette conclusion, le garde-pêche, endormi, est brutalement tiré de son sommeil, et bafouille un « votre permis », qu'il enchaîne d'un « je vous salue Marie », confus d'avoir cédé à la fatigue en un tel lieu. Il y va même de sa pièce de cinq francs pour la quête qui suit le sermon.

La file des communiants est longue, comme chaque année à pareille date, surtout qu'en passant comme ça entre l'autel et le premier rang, on peut saluer le député, qu'a toujours l'air de connaître tout le monde. Il communie aussi, après nous, et s'abîme dans une pieuse déglutition de l'hostie pendant que l'abbé bâcle la fin de la messe. Avec un bel ensemble, ils regagnent tous deux les portes qui les séparent du commun des mortels, le curé celle de la sacristie, et le député de sa Mercedes, où l'attend son chauffeur. On se retrouve entre nous. On peut se saluer du menton, s'appeler d'un claquement de doigt ou de langue, avant même d'être hors de la chapelle. Mlle Blanche est rose d'émotion de voir tant d'élégantes porter les modèles qu'elle ne manque pas de créer pour ce grand jour. Les hommes descendent à pied au café, en parlant fort, en se donnant des claques dans le dos, pour se mettre en train. Les bonnes femmes vont en silence, les yeux baissés pour veiller à ce que les cailloux du chemin n'écorchent pas la peau de leurs chaussures neuves. Y'a que les touristes, ignorant les usages d'ici, qui sont habillés comme n'importe quel autre jour. Même moi j'ai quitté la blouse que je remets juste pour mon déjeuner rapide et distrait.

Je suis très émue quand j'arrive la première sur le terrain de foot et le pré clôturé qui est derrière. On paie cinq francs à l'entrée, et on a droit à un petit cœur en carton, qu'on épingle sur son vêtement. Sur le cœur des dames, y'a un prénom masculin, et sur le cœur des messieurs, un prénom féminin. Si le masculin et le féminin se rencontrent, le monsieur doit payer un coup à boire à la dame. C'est dire qu'il y a vite de l'ambiance à la buvette que tiennent Choupinet et sa nièce. Mon cœur à moi, il s'appelle Henri. Peut-être que Jean-Marie s'appelle Henriette, ou le receveur, ou Maurice. Je dis ça, mais c'est rien que pour causer...

Je suis de service ici jusqu'à huit heures, au stand de la pâtisserie. C'est moi qui le tiens tous les ans parce que je suis une bonne publicité pour la boutique : je goûte un gâteau de chaque sorte, histoire de savoir renseigner mes clients. J'ai de la conscience professionnelle, moi. Et comme, arrivée à la dernière sorte, je me rappelle plus du goût de la première, je recommence, pour comparer, mais en changeant l'ordre parce que selon qu'on mange les plus sucrés avant ou après les moins sucrés, c'est pas tout à fait la même chose. L'éclair au chocolat après la tarte abricot par exemple, ça se supporte, mais dans le sens contraire, c'est guère à conseiller : l'acide du fruit, ça fait relever la langue. Bien sûr, je paie chaque essai à son prix. Aussi, chaque année, le stand de la pâtisserie, c'est celui qui fait le plus gros bénéfice, à égalité avec la buvette. Après, c'est le stand de l'électrophone, tenu par Sylvain Biquet : on donne un franc pour faire passer un disque avec dédicace. Mme Plantu, qui vient de rompre avec Etienne Blanchet, dédie à l'instant : *Non, je ne regrette rien*, d'Edith Piaf, « à quelqu'un qui se reconnaîtra bien ». M. Plantu, persuadé d'être l'objet de l'attention, rosit et embrasse sa femme, dont il prend les larmes de rage pour des larmes d'émotion. Et Etienne Blanchet, qui ne regrette rien non plus, au point qu'il ne s'est pas reconnu, tire dans les boîtes de conserve pour gagner une bouteille de mousseux.

« Dites donc, pépère Sanson, vous pourriez pas me jouer le 3, le 2 et le 6 au lapinodrome ?

— Bien sûr, Mado. »

En poussant un peu ma réserve de babas — tiens, y'en a avec de la Chantilly, je goûterai après — je peux voir l'enclos où se joue le sort de mes cinq francs. Les parieurs sont bien plus énervés que les dimanches ordinaires. Faut dire que les dimanches ordinaires, on voit la retransmission de la course de chevaux dans la télé ; ici, on a la course de lapins en direct. J'ai perdu, le trois s'est arrêté sur une touffe de pissenlits.

Je mange un cornet à la crème pour me consoler, et j'ai la bouche pleine quand arrive enfin Jean-Marie. Son cœur s'appelle Simone, tant pis pour moi. Je me serais pourtant bien fait remplacer par Mlle Phrasie pour aller boire en sa compagnie.

« Je ne vous ai pas demandé un chou au rhum, Madeleine, mais une barquette au marron.

— Oh ! pardon. »

J'ai vraiment plus ma tête à moi quand il me parle.

« A ce soir. J'ai une place au premier rang finalement.

— A ce soir. »

Pourvu que je me rappelle mon rôle... Au premier rang...

Le match des vétérans de Saint-Crépin contre ceux de Merey bat son plein. Nous menons par neuf à zéro. Après ça, y'aura un sacré coup de feu à la buvette, où pour l'instant y a plus guère que trois ivrognes dont la Nicole a bien du mal à repousser les assiduités. Jusqu'au moment où le Sylvain, toujours chevaleresque, vient assommer celui que Perduvent essayait de raisonner, à grands renforts de latin. Les deux autres essaient de riposter, mais avec prudence, ne s'attaquant qu'au libraire, qui sait pas reculer à temps, trop confiant en sa parole. Une femme fait écho au cri de goret écorché que pousse Perduvent, un des gosses Tatin se met à pleurer, quelques supporters du match se retournent et reviennent à la buvette. Ils libèrent Perduvent et cognent un brin les agresseurs qui s'en écroulent d'étonnement. On les transporte au stand surmonté d'une croix rouge. J'aurais bien aimé être infirmière. C'est seyant tout ce blanc. C'est ce qu'elle voulait faire Germaine, mais sa mère s'est retrouvée toute seule et elle a pas pu lui payer les études. Elle regrette toujours. Pour la consoler, j'y ai dit que c'était un peu pareil ce qu'elle faisait, que la seule différence, c'est que les soins qu'elle donne, ils sont pas reconnus par la Sécurité sociale. Peut-être que si j'avais été infirmière, j'aurais épousé un chirurgien. Ou alors un malade que j'aurais sauvé, et qui m'aurait dit comme ça, quand il aurait été guéri :

« Vends-moi donc une religieuse au chocolat.

— Mais oui, Monsieur l'Abbé. Ça fait 2,20 francs. »

On peut pas rêver tranquille quand on est dans le commerce. Mais ça a d'autres avantages : on voit du monde. Et puis, on a des belles blouses pimpantes. Alors, forcément, un jour, un client vous remarque. Et il vous donne rendez-vous au cinéma. Et puis là, dans le noir, inspiré par ceux qui s'embrassent sur l'écran, il vous embrasse aussi. Et moi qui suis au rang derrière, je vois plus rien de ce qui arrive dans le film. C'est comme ça qu'elle a trouvé un mari Pierrette Desaille : dans la boutique de ses parents. Et pourtant, c'était pas un commerce qui inspire à l'amour, rien que des clous et des boulons, des marteaux et des tenailles. N'empêche, son mari, il est dentiste. Alors, maintenant elle vit à Merey et elle a toute une rangée de fausses dents qui sont bien plus belles que les vraies qu'elle avait avant. Mais maintenant qu'elle est riche, elle mord tellement à même que le dentiste n'est pas toujours content. Et il va voir Germaine. Même qu'il est un peu bizarre qu'elle dit Germaine, mais elle a pas voulu me donner de détails parce que je suis une vraie jeune fille qu'elle a dit encore, et que ça me choquerait.

La fièvre monte dans les coulisses (l'arrière-cuisine de Joseph Groud), où les odeurs de fards, de tissus neufs et de sueur émue se mêlent intimement aux relents de pot-au-feu du déjeuner précédent.

J'achève d'amarrer mon chapeau pendant que les derniers spectateurs pénètrent dans la grange, reconvertie en théâtre grâce aux chaises de l'église et aux bancs de l'école. Une rumeur m'attire vers le trou du rideau de scène, d'où je peux contempler la salle. Déception : c'est pas l'arrivée du Président qu'on saluait d'une ovation, c'est Germaine qu'ameute le public, pour une gifle que lui a donnée la Sophie Tatin.

« Comment, Monsieur l'Abbé, vous confiez la vente des programmes de nos chers petits à cette roulure ? Vous faites cet affront à une mère de famille nombreuse ?

— Madame Tatin, voyons…, intervient l'abbé.

— Va donc, hé, vazin détendu », hurle Germaine, en se frottant la joue. Ses seins, tremblants de colère dans son décolleté, font accourir une foule d'hommes, qui arrive à point pour voir la deuxième gifle.

Auguste Tatin apparaît enfin, au moment où le drame tournait au pugilat, et, d'un seul geste, il envoie femme et marmots dans leur rang, après avoir payé le programme de Germaine d'une belle pièce de dix francs, qu'elle fait joyeusement sonner dans sa poche avec la petite monnaie. Je ne serais pas surprise que la Sophie soit encore mère dans neuf mois, car, de mémoire de Saint-Crépinois, toute dispute sérieuse chez les Tatin a toujours été suivie d'une

122

naissance. D'avoir un hôtel, forcément, ça donne des idées...

Germaine, consolée, retrouve bientôt la sérénité indispensable à son commerce :

« Demandez le programme... Demandez le programme... Le prix est laissé à l'appréziation de la clientèle. »

Sûr que j'aurais apporté moins de bénéfice à M. le curé...

Ce dernier a disparu un moment pour s'habiller chez lui, car la pudeur qui s'attache à ses fonctions l'empêche de cohabiter dans nos vestiaires de fortune.

Les trois coups sont frappés, et la chorale qui débute le spectacle vient couvrir le bruit d'une dispute en coulisses :

« Mon lapin savant ! Où est mon lapin savant ? clame le prestidigitateur d'un soir.

— Votre lapin, il est dans mes clapiers : j'ai cru que c'était une de mes bêtes qui s'était échappée.

— Comment y sont les vôtres ?

— Blancs avec les yeux rouges. »

Le son se perd dans la cour, mais je vois toujours les deux silhouettes gesticulant près de l'étable, dans le halo d'une lampe-tempête. On dirait un film de Charlot.

Le silence qui s'est fait, soudain, dans la salle, me ramène au spectacle. M. Perduvent, depuis des semaines, faisait grand mystère d'une surprise qu'il préparait pour la kermesse. On avait imaginé beaucoup de choses, mais aucune n'approchait la réalité :

le libraire s'avance sur scène, drapé à l'antique dans le grand rideau de son salon, le teint pourpre d'émotion, le front ceint d'une couronne de laurier-rose, dont une fleur lui cache malencontreusement un œil et fait loucher l'autre. La salle est muette de saisissement. Il se nomme — Cicéron — et annonce le sujet : « Extrait des *Catilinaires*. En version originale. Pour la version sous-titrée, on peut se la procurer à mon magasin dès demain. Dix francs pour les volumes brochés, quinze pour les reliés, vingt-deux pour les éditions bilingues (seulement sur commande). Une réduction de dix pour cent sera accordée aux enseignants. »

Les cinq premières minutes ont passé agréablement à détailler le costume et l'épaule velue, mais, vingt minutes plus tard, la salle s'ennuie ferme. Pourtant, personne n'ose interrompre l'orateur. M. le curé, de retour du presbytère, me fait part de ses inquiétudes :

« Il nous coupe l'ambiance ! Il nous coupe l'ambiance. »

Enfin, à bout de souffle, le visage congestionné, le laurier fané — quel acteur — notre orateur arrête ses vociférations et salue à la façon des boxeurs, les poings noués au-dessus de la tête. Dans un dernier saut, qu'il voulait plus haut que les précédents, il s'empêtre dans son rideau et tombe. On l'emporte, toussant et crachant, dans le nuage de poussière soulevé par sa chute. Rideau.

Le prestidigitateur, qui a retrouvé son partenaire, entre en scène dans une atmosphère bizarre, car le public, encore étonné par les *Catilinaires,* ne sait s'il doit rire ou siffler.

C'est pas facile de succéder à pareil artiste...

D'autant plus que le lapin ne connaît pas son rôle.

« Et maintenant, Monsieur Jeannot va disparaître. Je compte jusqu'à trois. Un... deux... trois... le chapeau est vide. »

Et, pour la troisième fois, le lapin pointe ses oreilles au bord du haut-de-forme.

Du coup, il a fallu qu'on enchaîne tout de suite l'abbé et moi.

On s'en est bien tiré jusqu'au final, et pourtant c'était pas facile avec les deux lapins restés sur l'estrade et qui passaient et repassaient dans nos jambes. Mais ça s'est gâté dans la dernière scène...

Il était dit, dans Courteline :

« Elle ne répond que d'un petit mouvement de corps, tendre et câlin ; un remords qui se fait caresse. Elle se glisse dans son bras, dont, ensuite, de force, elle se ceinture la taille, et elle demeure nichée, honteuse, le front reposé à l'épaule du jeune homme, qui l'a laissée faire sans rien dire. »

D'abord, par décence, on n'avait jamais répété ce final. Ensuite, vues les dimensions de M. le curé par rapport aux miennes, il nous avait semblé évident que son bras parviendrait jamais à ceinturer ma taille et que je pourrais pas poser ma tête sur son épaule, vu que sa tête, elle arrive guère plus haut que mes roploplos. On avait donc convenu qu'on réduirait ces tendresses à un simple mouvement de mon bras autour de son cou, lui demeurant assis derrière le bureau du décor, afin qu'on ne voie pas le bottin intercalé entre sa chaise et son postérieur.

Le malheur est que je connais pas ma force. Encore moins quand elle est décuplée par la joie du succès (la salle, tellement raide pendant les *Catilinaires,* perplexe avec les lapins, s'était détendue avec nous. On avait même dû faire sortir le vieux Gaspar qui étouffait de rire — faut dire que j'avais le hoquet depuis le début de la soirée). Je m'élançais donc vers M. le curé pour ce petit mouvement câlin. Son regard changea en une seconde. C'était de peur, je l'ai compris plus tard, mais grisée à ce moment-là, je pris ça pour un encouragement (cette scène m'intimidait); j'arrivai donc sur lui en trois enjambées, j'abattis mon bras droit, si fort que mon partenaire en tomba et que, perdant ainsi mon appui, je le rejoignis dans la poussière, entraînant le bureau auquel j'avais voulu me retenir. C'était décidément la soirée des chutes. Quand un chef d'Etat glisse en descendant d'avion, les journalistes du monde entier s'interrogent sur sa santé. A Saint-Crépin, quand le ministre du culte et la préposée des postes perdent ensemble l'équilibre, on rigole. Et quand je dis on rigole, je suis modeste, car le rire fut si général et si énorme qu'il alla réveiller le troupeau de Philomène. Ce fut une cacophonie de bêlements et de clochettes dans le champ du dessus. Jusqu'au coq, qui, croyant qu'on saluait le lever du soleil, se mit à faire des cocoricos à n'en plus finir. Mais on eut pas vraiment le temps de s'inquiéter de nous, car l'abbé et moi, on était si confus d'avoir ainsi mêlé nos corps en public, qu'on

126

s'était relevés vite fait. J'avais le chapeau en berne et la cape en bandoulière, l'abbé était plein de tics, et les lapins grignotaient le bottin. On salua tout de même, ce qui fit redoubler le tonnerre d'applaudissements. La jeunesse était déjà sur l'estrade pour nous porter en triomphe, mais M. le curé leur dit que le spectacle n'était pas terminé.

Tout rentra dans l'ordre. Chez les humains du moins, car, pour ce qui est des bêtes, elles continuèrent à couvrir épisodiquement la voix des acteurs de la grande pièce qui suivit la nôtre (et qui eut moins de succès, je dois dire, toute modestie mise à part). La chorale entonna le chant final, souligné par les braiements du mulet à Joseph, et toute la troupe revint saluer. Sauf M. Perduvent, qu'on était allé coucher de force avec une vessie de glace sur la tête.

C'est fini... Déjà... Si vite... On sent la froideur qui précède l'aube. Elle doit pas avoir chaud, Marie-Josèphe. Dommage qu'elle m'ait pas vue. C'est quand y'a des fêtes que je pense aux défunts. C'est pas tellement de mourir qui est triste, c'est de ne pas vivre. Et de se sentir vieillir, quand on connaît plus de monde dessous la terre qu'au-dessus. Pourquoi les morts, maintenant, on les met à l'écart ? Avant, les cimetières, ils étaient autour des églises. Comme ça, allongés, ils nous voyaient encore vivre ; ça devait les réjouir, les mariages, les baptêmes, les communions, les belles robes du dimanche ; et les rendez-vous des chats amoureux dans les buis, les nuits de pleine lune ; leurs combats sonores et leurs fuites éperdues sur le gravier crissant des allées. Maintenant, dans leurs champs retirés, ils doivent bien s'emmerder, avec seulement le grouillement blanc des asticots qui les rongent en silence. Tiens, Marie-Josèphe, il me reste un programme, je te le mets sur le ventre, ça te changera des bégonias, même si demain la pluie détrempe l'aquarelle des enfants et l'écriture du curé en larmes multicolores. Est-ce qu'elle est morte, ma mère ? Tout ce temps que j'aurais pu l'aimer, et qui est perdu... Allez, salut, j'ai des frissons, je me rentre. Autour de la boulangerie, ça sent déjà bon le pain, et l'odeur grise les moineaux qui pépient dans les tilleuls. Le patron se fume une pipe sur son banc, pour se rafraîchir de la chaleur du four. Y'a jamais de fête pour lui... Comme c'est loin, la prochaine kermesse.

Jean-Marie nous abandonne ce matin... Quand je dis « nous » d'ailleurs, c'est une façon de parler parce qu'il n'y a que Germaine, chez laquelle il a dormi, qu'il quitte ce matin. Moi, il m'a laissée hier, comme n'importe quel Saint-Crépinois : au revoir Madeleine, j'ai été heureux de vous connaître, nous nous reverrons peut-être si je reviens un jour ; au revoir Madame Tatin, j'étais bien dans votre hôtel ; adieu Perduvent ; salut Patrick (c'est le bibliothécaire : ils

128

s'appellent par leurs prénoms et se tutoient, ça rend intimes d'être de la même épicerie. Moi je n'ai plus jamais eu droit au tutoiement depuis le dîner au Grand Sultan ; quant au bibliothécaire, j'ai beau le voir deux fois par mois depuis plus d'un an, je n'ai pas avancé pour autant dans les familiarités), etc., etc. Je suis déjà dans la masse floue des souvenirs, comme le premier brouillard d'automne de cette longue nuit où je n'ai pas dormi. Qu'il parte, c'est une chose ; que je ne sache plus rien de lui, c'en est une autre... Je n'ai pas demandé qu'il m'écrive : ayant rêvé festins, je ne saurais me contenter de miettes. Que me dirait-il d'ailleurs ? Nous n'avons rien en commun, hormis Germaine, le joli fil qui nous relie l'un à l'autre. Et, de toute façon, je n'oserais pas répondre à ses lettres, à cause de ma vilaine écriture, de mes fautes d'orthographe, et de ce que rien de ma vie ne saurait l'intéresser, rentré dans son Paris... Alors, en ayant assez de tourner dans mes draps et de suivre le phosphore des aiguilles du réveil fatidique, je me suis levée, habillée, et je suis partie pour la gare de Mouchard, à pied, parce qu'en vélo, je serais arrivée beaucoup trop tôt pour l'heure du train.

Saint-Crépin dormait encore. J'ai pris à travers champ, au plus court et plus agréable. Je passe derrière chez Ramot, ce qui éveille leur chien, étranglant de rage au bout de sa corde, de n'avoir pas mes mollets à sa portée ; j'escalade les barbelés de Berthe, y laissant un morceau d'étoffe ; je salue les vaches qu'on a oublié de rentrer dans le pré aux Groud ; j'arrête ma course le temps d'invisibles et clapotants ricochets sur la rivière, dont je suis la grande boucle, de l'autre côté de la baignade. J'ai atteint les limites de Saint-Crépin : au-delà de cette dernière ferme, ce n'est plus moi la factrice. Les paysans n'aiment pas beaucoup que des inconnus traversent leurs champs, surtout à de pareilles heures louches, mais à la saison des touristes, ils me prendront pour un fada innocent ayant des fringales d'aurores champêtres et ne sortiront pas leurs fusils, mis dans la graisse jusqu'à l'ouverture de la chasse. L'aube se lève et le brouillard s'effiloche quand j'atteins les premières maisons de Mouchard. Il fera encore chaud aujourd'hui, mais les nuits commencent à être fraîches, annonçant déjà l'automne, saison des regrets. L'hiver, j'hiberne. A moi la paix. Mon âme s'accommode de la solitude, mon corps s'engourdit. Plus rien ne me trouble, jusqu'à la débâcle du printemps, où je recommence à me raconter des histoires, à préparer l'été. Parce qu'il n'y a que l'été que je vis vraiment. C'est même pour ça que l'automne est si terrible. Ce n'est pas une saison, l'automne : c'est un temps bâtard, suspendu entre les feux de l'été, qui n'en finissent pas d'étinceler, et les premiers froids courant à l'hiver. Chaque jour l'été moribond bataille et moi avec. Bien plus encore cette année, à cause de la kermesse et de Jean-Marie...

Pour Germaine aussi, c'est la mauvaise saison qui commence, celle des pluies, des brouillards qui lui refroidissent sa petite boutique quand elle piétine en attendant le client, qui n'a pas toujours chaud non plus à ses ustensiles. C'est le moment de payer les impôts et les cartables des enfants, de faire le compte des économies de l'année dépensées en un seul été. Les hommes redeviennent fidèles, remontant leurs cols et resserrant les cordons de leur bourse. Mais il n'y a jamais de temps perdu et elle profite toujours des loisirs que lui laisse son commerce pour entreprendre de nouvelles activités. Il y a trois ans, elle a fait une magnifique tapisserie au point de croix. L'année suivante elle s'est attaquée à la peinture sur soie — j'ai eu la surprise d'un foulard pour mon Noël, mais il est bien trop beau pour que je puisse le porter —. L'an passé elle s'est initiée à la photo — quelle pagaille dans sa cuisine transformée en chambre noire — et cette année, elle veut apprendre l'italien par correspondance. Ce qui m'ennuie, là-dedans, c'est qu'elle désire que j'apprenne avec elle, pour amortir les frais (elle dit qu'au prix qu'on lui prend, il faut mieux en profiter à deux), et pour que nous allions toutes les deux en Italie l'été prochain. Ça, ça me sourit déjà plus. Elle a acheté une carte, et Jean-Marie lui a montré où était Vérone. A ces arènes-là, je veux bien l'accompagner, parce qu'on n'y massacre pas de taureaux. Et ce serait bien rare que dans un public aussi vaste, il n'y ait pas deux cœurs à prendre, un pour elle, un pour moi...

Un soir, nous serions à écouter un opéra (ça me promet bien de l'ennui, quoique, là-bas, il y aurait des dames et des messieurs en costumes d'époque, à remuer un peu entre chaque air, alors que, jusqu'à présent, l'opéra et moi, c'était seulement des disques sur l'électrophone de Germaine. Et je n'avais pas le droit de parler pendant que ça chantait, même à Carlotta), chacune avec notre petite bougie, quand, tout d'un coup, je sens de la cire chaude me descendre du cou vers la colonne vertébrale — là-bas, il fait chaud, nous aurions des robes décolletées — je pousse un cri, me retourne, fait connaissance du maladroit — un Romain qui sait parler le français parce que je n'aurais jamais réussi à apprendre l'italien — il s'excuse très fort, les autres disent « chut », ce qui nous oblige à sortir tous les deux — lui aussi s'ennuie : il n'est là que pour accompagner sa maman. Nous dînons ensemble — c'est toujours propice à l'amour, la bouffe. A l'apéritif il me demande mon prénom, et, au dessert, ma main, qu'il a déjà dans la sienne, au-dessus des rogatons de gorgonzola. Au dernier acte de l'opéra, nous sommes fiancés. Surtout qu'à Vérone, nous a expliqué Jean-Marie, il y a la maison de Roméo et Juliette, les fameux amoureux qui avaient tellement d'histoires de famille... Pourtant, ils étaient jeunes, beaux et riches. Mais leurs parents avaient eu des mots, et même échangé des coups, et ne voulaient rien entendre de leur roman d'amour. Alors Juliette fait semblant de s'empoisonner, pour se tirer après avec lui, mais lui, pas futé, ne voit pas que c'est une blague : il se tue, et, quand elle se réveille, elle fait pareil. Comme ça, les familles se sont rencontrées malgré tout, au cimetière, avec le moine qui avait voulu aider les tourtereaux et qui s'était gourré quelque part. Ils étaient ensemble, mais je me demande s'il ne vaut pas mieux être vivants et séparés que morts et réunis. Je préfère que Jean-Marie soit dans son Paris et moi dans mon Saint-Crépin, que d'être ensemble entre quatre planches. De ce côté-là, ma Juliette est bien tranquille : sa mère au cimetière, son père disparu, il n'y aura pas d'opposition pour qu'elle épouse son Roméo. Parce que je crois qu'ils se marieront, Germaine et Jean-Marie. J'ai entendu leurs rires, avant de les voir, là, sur le quai tout proche. Ils ne peuvent soupçonner ma présence : je suis montée dans un wagon d'une voie de garage, et, par une fente, je les observe. Elle n'a pas l'air triste, seulement un peu nerveuse, peut-être. Lui est très calme, comme déjà parti. Il regarde la pendule, règle sa montre, s'achète un journal qu'il feuillette et commente à Germaine. J'entends leurs paroles, qui se perdent bientôt dans le fracas de l'arrivée du train, me les cachant un moment. Et quand, à nouveau, je vois le quai, il est désert : Germaine est déjà montée dans un taxi qui la remmène à Merey. Je ne saurai pas comment était leur baiser. J'attends que le tonnerre de la locomotive et des wagons soit tout à fait éteint, derrière la colline, et je quitte mon poste d'observation, profitant de ce que le chef de gare a le dos tourné pour sauter sur le ballast et traverser la voie.

J'ai un tiraillement dans l'estomac. Ce doit être la faim, ajoutée au manque de sommeil. Avant de rentrer, j'ai tout le temps de prendre mon petit déjeuner au buffet.

« Je voudrais un grand bol de café au lait et six croissants.

— Le boulanger n'est pas encore passé, il n'y a que le pain d'hier. »

J'ai tous les malheurs, ce matin...

Le café m'a à peine réchauffée, et pourtant, distraite, je m'y suis d'abord brûlé les lèvres ; j'ai les pieds mouillés par l'humidité de la nuit et la rosée des prés, qui ont traversé mes baskets. Au retour, je prends par la grand-route, de vilaine mémoire cependant, à cause des platanes. Elle a peut-être raison, la dame du journal, de me conseiller de maigrir et de porter des escarpins ? Il faudra que j'y réfléchisse mieux. Sous le coup de la colère — Germaine m'a toujours dit : « Tu es trop impulsive, ça te jouera des tours » — j'étais venue placarder mes affiches, mais ce n'est pas ça la solution. D'autant que je ne peux pas me trimbaler tout le temps dans le costume de scène qui m'avantageait si bien... On a accepté que je le garde. Je l'ai brossé, repassé, et plié comme il faut dans la valise dont je ne me sers jamais, avec laquelle je suis partie de chez les sœurs. Je l'aurais bien mis dans mon coffret à souvenirs, mais il est déjà plein, et ça ne sent pas très bon là-dedans, à cause de l'étoile de mer que m'a donnée Germaine, et qui voisine avec la petite pochette de papier rince-doigts du Grand Sultan, mon ticket de cinéma, celui de la séance où j'étais assise à côté de Maurice (qu'est-ce que ça m'avait donné chaud ce voisinage dans l'obscurité !), la boîte d'allumettes où j'ai rassemblé, après sa mort, les poils de Virgile, retrouvés au hasard de mes vêtements, sa photo de l'époque où il était encore avec Messaline (c'est Perduvent qui me l'avait

134

offerte), les programmes de toutes les kermesses, les faire-part de deuil de quelques Saint-Crépinois, et les lettres de Germaine. Quand je m'ennuie trop, je sors tout ça, je relis, j'étale, je regarde, puis je range.

Ah ! le salaud : il m'a toute éclaboussée en roulant dans la flaque. Il est bien pressé de rentrer à Paris aussi. L'assemblée attend après lui, sans doute ? Mariette doit être à poser des housses sur tous les meubles, dans la maison dont elle fermera les volets pour jusqu'à Noël ; la poussière se posera un peu partout, comme la poudre de riz aux joues des coquettes, mais ça sentira moins bon, et les dernières guêpes prisonnières des rideaux mourront dans l'obscurité. Le soleil déclinant fera des dessins de plus en plus brefs sur les tapis et les parquets, à travers les lattes des persiennes. Albert videra et nettoiera la piscine, où tomberont et pourriront, ou dessécheront, selon la clémence du temps, les feuilles du parc et les fruits qu'on ne ramasse jamais. Médor pourra étendre un peu plus son domaine, en cercles d'urine sur les traces de Charron, parti avec son maître... Quoique Médor va moins traîner : il n'y aura plus bientôt aucun touriste à pique-niquer dans la colline. Il a une technique très efficace, Médor : il arrive lentement près de la cible assise à casse-croûter, en faisant de grands ronds et de petits détours, hésitant sur la direction comme s'il prenait le vent ou attendait un copain ; il a l'air en baguenaude, mais toute son attention est centrée sur la mangeaille. Quand il sent que la proie est bien en confiance, il s'en approche enfin, s'assoit, et ne la quitte plus des yeux. Si la victime s'obstine à ne pas comprendre, le chien fait ses yeux de saint Jean-Baptiste au calvaire et geint doucement. On ne peut jamais résister à ça. Il prend trois kilos tous les étés. Alors, quand arrive l'automne, lui aussi est un peu triste. Je lui porte bien quelques restes, mais ça ne fait jamais autant... Jusqu'à Philomène qui trouve que c'est une période creuse pour ses rêveries, parce que j'ai moins de courrier à lui porter. Il doit attendre le moment des vœux.

A propos de courrier, il est temps que j'aille à la poste chercher celui d'aujourd'hui... Le village est maintenant bien réveillé. Perduvent ôte de sa vitrine ses vieux volets de bois, l'épicier traîne sur son seuil ses casiers de litres vides, pour le ramassage du livreur ; l'abbé ouvre toutes grandes les portes de l'église, inutilement, car aucun de nous ne va à la messe les jours de semaine ; le boulanger rentre déjà de sa tournée dans la campagne ; Sophie Tatin étend la lessive de ses clients et de sa marmaille ; Mᵐᵉ Plantu tire les rideaux de sa chambre pour voir Etienne Blanchet attendre le car de ramassage qui l'emmènera à la scierie de Merey. Rien apparemment ne bouge ici, et personne ne pense que l'été est fini, hormis les enfants, qui, disant adieu aux compagnons de jeux d'une saison, songent à la reprise du catéchisme (dont j'ai bien hâte d'assurer la pre mière leçon, puisque M. le curé me fait cette année l'honneur de me prendre comme assistante), et de l'école, dont on achève de repeindre la façade. Fernande continue à peindre la sienne avec insistance, mais sa palette a singulièrement viré des bleus, verts et rouges vifs aux beiges, marrons, roses éteints. Elle s'efface, se gomme, de n'être pas remarquée par le receveur. Mlle Phrasie, quant à elle, s'est inventé un fiancé, auquel nul ne croit, hormis M. Bléfour, qui, d'ailleurs, s'en moque éperdument. Et pourtant elle insiste, s'envoyant elle-même des lettres, qu'elle va poster aux quatre coins du département le dimanche, et qu'elle ouvre, avec force exclamations, le mardi, au guichet. Ça, je n'aurais jamais pensé à l'inventer...

« Tout le monde sait que l'histoire de la pomme, c'est du flan, n'est-ce pas, les enfants ? Qu'est-ce que tu as à ricaner comme ça dans le cou de ta voisine, Emile ? Tu la fais rougir. Ne l'écoute pas, Isabelle, c'est sûrement sa grande bourrique de frère qui lui a appris des histoires cochonnes qui n'ont rien à voir avec l'histoire sainte. Je disais donc que la vérité... enfin... que mon avis c'est que quand Eve a vu le serpent dans l'arbre, un après-midi qu'elle faisait une sieste avec Adam sous un pommier, elle a dit à son compagnon : « Regarde donc comme sa peau est plus belle que la nôtre et peut se couler le long des branches sans s'écorcher. Si on la lui prenait ? J'en ai marre de me balader toute nue — Emile, si je t'entends encore une fois, je te fais sortir — c'est pas varié comme tenue... » Et Adam a commis le premier meurtre de l'histoire du Monde, pour que Eve fasse la coquette, comme si ça lui était bien nécessaire d'être élégante au Paradis, alors qu'elle n'avait pas de concurrente auprès d'Adam, et que Dieu, dans sa très grande bonté, n'avait mis que l'été au Paradis et laissé les autres saisons sur la Terre. Alors, le lendemain, quand le Créateur qui se baladait dans sa Création pour voir si tout y était aussi bien qu'au premier jour, trouva ce qu'il restait de son pauvre serpent, il convoqua les deux coupables et les chassa du Paradis, les condamnant à laisser la peau de reptile au vestiaire et à la remplacer par des feuilles de vigne, que c'était bien moins seyant au bronzage d'Eve. Il leur annonça aussi que, dorénavant, ils seraient mortels, pour leur apprendre ce que c'était que cette mort qu'ils avaient donnée sans réfléchir, et que, de plus, tous les animaux auraient peur d'eux, que ce serait un très long apprentissage de les apprivoiser de nouveau. Et il a ajouté qu'il avait tellement honte pour les deux coupables qu'il jugeait nécessaire de tenir l'affaire secrète, et de raconter plutôt à leurs enfants qu'ils avaient seulement croqué une pomme interdite. Vous voyez comme Dieu est généreux — Emile, va à genoux dans la sacristie — Il n'hésitait pas à se couvrir de ridicule avec une histoire rocambolesque pour que les enfants d'Adam et Eve puissent ne pas avoir honte de leurs parents... Longtemps après ce premier déboire, alors qu'Adam et Eve étaient depuis

138

belle lurette consommés par les asticots (à chacun son tour), Dieu nous donna un deuxième avertissement, par l'entremise de Noé : « Tu embarques ta femme et tes gosses, mais je ne veux pas entendre parler des cousins ou des beaux-frères et belles-sœurs : l'arche, c'est surtout pour les animaux. Tu prends un couple de chaque sorte, sans oublier une seule espèce. Quand tout le monde sera dans le bateau, tu n'auras plus qu'à attendre que je commence le ménage, à grands coups de seaux d'eau sur la tronche des hommes dont je ne suis décidément pas content. J'aurais dû me contenter d'inventer les plantes et les bêtes. Mais, tu sais ce que c'est, je ne suis pas Dieu pour rien, j'ai cru possible d'améliorer, mais maintenant, je vois bien qu'à part toi et ta petite famille, mon truc à deux pattes, il est raté. Et puis, après la pluie le beau temps, salut Noé, je te reverrai dans quarante jours. » Cette fois-là, tout de même, on aurait dû comprendre. Passe pour Adam et Eve qui étaient les premiers et n'avaient pas d'expérience, mais les enfants de Noé, qui avaient eu bien des deuils dans leur cousinage, et bien des problèmes pour nourrir tous leurs pensionnaires à bord du zoo flottant, ils auraient pu réfléchir un peu et que leurs réflexions viennent jusqu'à nous, leurs descendants. Mais aujourd'hui, c'est encore plus moche, parce que cette fois on a vraiment perdu quelques espèces en route, que le Bon Dieu n'a pas l'air décidé à recréer. Et s'il y avait un nouveau déluge, il faudrait une arche bien plus petite, et ça demanderait bien plus de temps pour le rassemblement, parce qu'il y a des exemplaires qu'il faudrait aller chercher très loin, puisqu'y sont en voie de disparition.

La leçon est finie pour aujourd'hui. On dit trois je vous salue Marie et on rentre tous chez soi. N'oubliez pas de m'apporter la liste que je vous ai demandée pour la prochaine fois, que je sache s'il y aura un instrument pour chacun de vous. »

Ma version du Paradis est peut-être pas très catholique, mais pour une fois que j'avais la parole, je n'allais pas laisser passer l'occasion... De toute façon, M. le curé me fait confiance : « Tu es plus proche des enfants que moi, Mado, et tu as beaucoup appris chez les sœurs, je te laisse donc le soin des plus jeunes d'ici, j'assurerai les leçons pour les grands et ceux des hameaux pendant ce temps-là. Tu as tous les livres qu'il te faut dans la sacristie. Si tu as un problème particulier, tu m'en parles : les mystères de la foi ne sont pas toujours facilement compréhensibles pour les enfants. » Ça, c'est vrai : l'histoire de la faute originelle, je n'avais rien compris chez les religieuses. D'autant qu'elles avaient greffé sur ce pommier un vrai roman... D'abord, on avait droit à la version la plus commune : Eve avait mangé un fruit défendu ; version qui nous était donnée en général, classe réunie. Mais, après notre communion solennelle, ou avant si on était précoce, on avait droit à une version particulière, en tête à tête avec la mère supérieure, la première fois qu'il y avait du sang dans notre petite culotte :

« La vérité, ma fille, c'est que c'est par là qu'Eve a péché ; et c'est une punition divine d'avoir mal au ventre chaque mois et de perdre ce sang qui, cependant, ne venant d'aucune blessure, ne doit pas t'effrayer... »

Là, c'était assez embrouillé dans ma tête. J'avais voulu interrompre la mère supérieure mais elle ne m'en avait pas laissé le temps : elle racontait ces sornettes-là depuis si longtemps, que, dans son discours, il n'y avait pas de place pour une question, un soupir ou une larme de la gamine agenouillée devant elle :

« Seule, la Vierge et les saintes sont épargnées par cette malédiction, parce qu'elles sont sans péché. Aussi, afin que disparaissent ce désagrément, il faut faire effort vers la sainteté. Quand tu seras majeure, tu pourrais, par exemple, choisir de faire partie de notre congrégation. Mais, en attendant, va prier à la chapelle jusqu'à minuit. J'irai te chercher quand il sera l'heure. Demain, tu seras dispensée d'école, tu resteras au lit toute la journée, avec du lait chaud et des livres pieux. Mais parce que c'est la première fois ; les prochaines, tu seras traitée comme tes compagnes. Ça reviendra tous les vingt-huit jours, parce que quatre fois sept vingt-huit : le bon Dieu a mis sept jours à créer le Monde où Eve a mis la pagaille trois semaines plus tard. Passe par l'infirmerie prendre le linge qu'il faut, et à l'intendance demander le cierge de circonstance, qui brûlera pendant tes prières. »

C'est comme ça que Marcelline a choisi de se faire religieuse quand elle a eu l'âge.

La religion faut en prendre et en laisser, s'en

arranger selon les circonstances... Le Ciel défend de vrai certains contentements ; mais on trouve avec lui des accommodements. Selon divers besoins, il est une science d'étendre les liens de notre conscience et de rectifier le mal de l'action avec la pureté de notre intention. C'est comme ça que me fiant plus à saint François qu'à mes éducatrices en robes de bure, j'emmènerai bientôt les enfants derrière moi, comme Pierre l'Hermite à la croisade. Et nous délivrerons la sainte colline de tous les infidèles qui pourfendent les divines créatures.

« Bonjour Monsieur le bibliothécaire, je vous emprunte *Les Fleurs* de saint François, qu'est-ce que vous avez d'autre à me proposer ?

— J'ai enfin, depuis hier, les livres de Jean-Marie. Ça vous tente ? »

Je me trouve bien dans l'embarras pour occuper ma soirée... La raison me commande saint François, et le cœur, qui a ses raisons que la raison ne connaît pas, Jean-Marie. Alors, pour ne pas faire de jaloux, j'opte finalement pour mes catalogues de la Redoute et des Trois Suisses, laissant l'homme de Dieu et l'homme de plume converser ensemble, jaquette contre jaquette, sur ma table de nuit. C'est rigolo le titre de Jean-Marie : *Du féminisme ou le retour des acariens*. Qu'est-ce que ça peut bien être des aca- riens ? Je n'ai jamais entendu ce mot... Des habitants d'un pays qui s'appellerait l'Acarie ? Dommage que je n'ai chez moi ni dictionnaire ni atlas pour chercher, il faudra que j'en consulte à ma prochaine visite au bibliobus. Mais je vous jure, saint François, que je n'ouvrirai pas ce livre avant le vôtre.

Ramona a fait sa cabrette il y a deux semaines, et c'est ce soir que nous la baptisons. Comme un tête-à-tête avec Philomène, qui n'est pas bien causant, n'aurait pas été vraiment joyeux, je lui ai demandé s'il ne pouvait pas inviter aussi ma copine. Il a été d'accord immédiatement, mais, en même temps, il pensait qu'elle ne viendrait pas. On se fait des idées, des fois, quand on connaît pas les gens. Germaine a tout de suite dit oui, et a même voulu porter un cadeau pour Philomène. J'étais bien embarrassée de la conseiller, vu que Philomène ne possède que l'essentiel et ne souhaite rien de plus. Elle a pensé à un moulin à café électrique, mais il y avait un obstacle majeur : la bergerie est sans électricité. Du coup, ça éliminait aussi le grille-pain, la gaufrière, la crêpière et tous les ustensiles ménagers dont elle avait l'idée. L'eau de Cologne aurait été ridicule, parce que Philomène ne se lave pas plus d'une fois par mois, et, pour le rasoir, en plus qu'il manque l'électricité là-haut, j'ai toujours connu Philomène avec une barbe. Nous avons fini par nous décider pour des albums à coller des photos, ça sera mieux pour sa collection de cartes postales que sa vieille boîte à biscuits où elles se salissent et se gondolent, où les paysages jaunissent et les monuments se ratatinent. Le photographe a fait un beau paquet, avec une ficelle qui frise, comme le bijoutier a mis au mien. Mon cadeau, c'est pour ma filleule, et j'ai pratiqué comme si c'était un bébé humain, en lui choisissant un bijou : une chaîne avec une médaille. Je l'ai prise en argent, parce que l'or était trop cher pour ma bourse ; et j'ai dû me contenter d'une représentation de la Vierge, car les médailles de Marie-Madeleine n'existent pas :

« Ce n'est pas demandé, m'a expliqué gentiment le marchand, alors, ça ne se fabrique pas, c'est la loi de l'offre et de la demande. »

Il n'avait pas l'air trop surpris jusque-là ; c'est quand il a été question de la longueur de la chaîne qu'il s'est étonné :

« Désirez-vous que l'enfant la porte maintenant ? Auquel cas j'ai ces petits modèles très fins, conçus pour bébés. Mais si vous désirez qu'elle fasse plus d'usage, prenez une chaîne plus grande, pour adulte.

— Vous m'embarrassez bien, parce que je m'interroge : est-ce que c'est plus proche d'un cou de bébé ou d'un cou d'adulte, un garrot de chèvre ? »

Il m'a vendu la plus longue, et il a bien fait car elle va à merveille à Mado. Je la lui ai mise pendant que Philomène ouvrait son paquet en tremblant. J'ai failli ne pas le reconnaître ce soir : il a dû descendre jusqu'au village dans l'après-midi, parce que ses cheveux sont coupés et bien coiffés, au lieu d'être la broussaille habituelle, et ses joues sont lisses de poil. Il a un pantalon et une chemise que je ne lui ai vus qu'à de rares enterrements. Il est comme rajeuni, et il sent presque bon. Il a aussi fait la toilette de la bergerie, étalant de la bonne paille fraîche sur le sol débarrassé des crottes de chèvres et des reliefs des repas de Médor ; le feu, plein de bois sec et d'écorces de châtaignes, claque fort dans la cheminée et l'obscurité semble repoussée, avec toutes ces bougies qu'il a plantées dans des bouteilles vides.

« Madame, je peux vous embrasser ? » qu'il a demandé à voix basse à Germaine. Elle lui a posé sans hésiter deux gros baisers sur les joues, qui l'ont fait rougir et rendu complètement muet. Il voulait commencer à coller ses cartes immédiatement, pour montrer comme il était content, mais c'était le moment de la cérémonie :

« Je te baptise, au nom du Père, du Fils et du Saint-Esprit.

— Dis, Mado, tu ne crains pas que ton bon Dieu se fâche de te voir baptiser un animal ? »

Moi, je crois pas. Ils ont bien une âme eux aussi. Et certainement qu'ils vont au Paradis puisqu'ils sont sans péchés...

« Elle tire bien ta cheminée, Philomène. Quand est-ce qu'on mange ? On a pris faim à monter ton raidillon. »

La table est mise, à même une planche posée sur deux rondins et décorée d'un bouquet champêtre, jeté dans une cruche ébréchée. Germaine s'assoit sur l'unique tabouret, recouvert pour l'occasion du vieux rideau rouge décroché de la fenêtre, et, nous deux, nous installons en face d'elle sur des bûches. Comme Philomène tremble toujours de ses mains, c'est Germaine qui verse l'apéritif ; du vin de pêche dont elle fait grand compliment à Philomène, parce qu'elle ne connaissait pas. Elle lui demande même la recette, pour lui faire retrouver sa langue :

« Vous prenez un litre de vin rouge, mais attention, pas de la piquette, du bon, qu'il faut au moins compter cinq ou six francs la bouteille ; vous ajoutez cinquante feuilles de pêches, cueillies en pleine saison, un jour de grosse chaleur si c'est possible, parce que la chaleur, ça fait ressortir le goût, mais surtout pas un jour de grand vent, parce que le zef, il emporterait toute la saveur ; vous mettez aussi vingt-cinq morceaux de sucre, et, pour finir, un petit coup de marc, grand comme un verre à liqueur. Vous oubliez tout ça deux mois au frais dans le bûcher ; vous filtrez ; c'est prêt. J'en fais une dizaine de bouteilles chaque année, que je bois avec votre amie, quand le courrier la fait passer auprès. »

Il a dit toute la recette d'un trait, sans respirer, si bien que ça le fait tousser. Il étouffe tant que nous devons lui taper dans le dos. Il n'a pas l'habitude de la belle société, Philomène, il regarde Germaine comme si c'était la Vierge Marie et lui Bernadette Soubirous. Avec ça qu'elle est tout en bleu et blanc, comme on voit toujours représentée la mère de Jésus... « Je ne suis pas digne de vous recevoir », qu'il lui balbutie. Elle rit, de son beau rire de cristal — je n'ai jamais su comment ça riait du cristal, mais c'est une chose qui se dit — et nous dînons enfin. Poulet à la broche, aux pommes de terre cuites dans la cendre et aux châtaignes. Jamais je n'ai mangé aussi bon, sauf peut-être au Grand Sultan ; bien que ce soir-là, je n'ai pas vraiment goûté, parce que j'étais troublée par Jean-Marie. L'amour, ça vous gâte la saveur des plats. Même que ce soir, ça doit être Philomène qui ne sent rien de son poulet, je crois qu'il avalerait du bois, tant il est fasciné par Germaine. Pour manger avec ses doigts, elle a ôté ses bagues, et un peu de graisse coule de ses phalanges au dos de sa main, lui enrubannant bientôt le poignet d'un cercle brillant ; elle déchire avec ses dents, qui font des éclats entre ses lèvres, à cause de la lueur des bougies. Médor s'est assis à ses pieds, comme la tarasque devant sainte Marthe. Sauf que ce soir, sainte Marthe, ça serait plutôt moi, parce que des deux sœurs, c'était Marie la jolie, qui répandait le parfum sur Jésus, pendant que le laideron se tapait la vaisselle. Et Philomène, c'est Lazare le ressuscité... Il aimait les futiles, finalement, Jésus. Il avait bien raison : avec sa situation, il pouvait se permettre ; c'est comme les P.-D.G. qui ont de belles secrétaires. La fille à Mariette, qui a pourtant appris la sténo, que c'est comme de l'arabe, n'a pas été retenue pour le poste qu'elle voulait, « parce qu'il faut de la présentation » qu'on lui a dit. C'est vrai qu'elle a un œil aux champs, l'autre à la ville, et qu'elle est bien petite la Odile. Mais il y a des nabots qui ont réussi... Prenez le Petit Poucet... Et Napoléon — tellement, celui-là, qu'il a fait profiter tous ses frères et sœurs du gâteau. Et Louis XIV, qui

trichait en mettant des talons, que c'est pour ça que
les marches à Versailles sont si grandes, pour que le
roi ne se casse pas la gueule. Vous imaginez un peu :
« Messieurs, le Roi » et patatras ! Luigi qui se prend
la canne dans les rubans de ses pompes et qui s'étale
dans le bassin de Neptune, nez dans la vase, cul au
ciel, perruque flottant comme un rat mort... Il y a
même eu un saint :

« Il s'appelait Benoît, et, à cause de sa petite taille,
on disait Bénézet. Il était berger comme toi, Philomène, mais il y a bien longtemps, en Provence. Il
entendit une voix, comme Jeanne d'Arc, qui lui disait
d'aller construire un pont sur le Rhône, pour pouvoir
surveiller les ennemis — qui ne devaient pas être
anglais comme pour Jeanne d'Arc, vu que les Anglais
ne sont pas tellement des constructeurs de ponts,
parce que, pont ou pas, l'ennemi, dans le brouillard,
on ne le voit pas. Toujours est-il que mon Bénézet
plante là son troupeau et son Médor, descend la côte
jusqu'à la ville, et, arrivé là, commence à casser les
pieds au maire et aux conseillers municipaux avec son
pont — un peu comme chez nous Maurice Ramot
pour regoudronner la route des fermes — il en
bafouillait de ce qu'on ne l'écoutait pas : « Faut un
bon pour le pont Dieu », qu'il disait, « faut un pont
pour le bon vieux, faut un dieu pour le vieux
pont... » Il a pris des coups de pied aux fesses, mais a
tout de même construit son pont avec des copains. Et
pendant les travaux, y'a eu des miracles, c'est comme
ça qu'on a su qu'il était saint. Alors, quand il est

mort, on l'a enterré sur le pont, et, trois ou quatre siècles plus tard, son corps était encore intact... »

Qu'est-ce que j'ai comme succès avec mon histoire, ils applaudissent tous les deux bruyamment, et Médor se dresse de les entendre si joyeux ; il remue la queue à en claquer les cuisses de Germaine, et ce bruit-là fait encore rougir Philomène. Je suis contente qu'il leur plaise saint Bénézet, parce que Jean-Marie, il l'avait pas aimé. Il me demandait pourquoi notre vieux pont était cassé, alors, comme je ne savais pas le renseigner, pour ne pas rester le bec dans l'eau, je lui avais parlé de celui d'Avignon, qui est le pont à Bénézet. Il m'avait tout de suite coupé la parole :

« Ne me parle pas de Bénézet : je ne supporte pas son écriture...

— Je ne savais pas qu'il écrivait, saint Bénézet.

— Mais non, il ne s'agit pas d'un saint, je t'assure... »

Et de m'expliquer que c'était un écrivain de maintenant, et pas un Bienheureux d'hier. Avec Jean-Marie, on tournait toujours en rond : de n'importe quel bout qu'on prenne une conversation, il la ramenait toujours à ses histoires de scribouillards. Ça m'agaçait des fois, parce que je n'y connaissais rien à la littérature, et qu'il avait un peu l'air de parler tout seul. Moi, ma spécialité, c'est les vies de saints. Chez les religieuses, tous les jours, entre la fin du dîner et la prière du soir, nous en écoutions une, racontée par la mère supérieure. Et aux fêtes carillonnées, nous avions le droit de mimer les récits, en nous déguisant avec des draps. Une seule fois j'ai joué. On m'avait confié le rôle du diable, parce qu'on me trouvait « noire comme un démon » ; on m'a jamais fait recommencer, j'étais si triste, avec ma queue en cordelière de rideau et ma fourche de jardinier que j'ai fondu en larmes. Et les élèves disaient qu'on n'avait jamais vu Satan « pleurer comme une Madeleine ». Sœur Blandine a détaché ma queue, a remis la fourche dans la serre, et m'a donné une pomme pour me consoler. « C'est la pomme du diable », qu'elle disait la grande Marcelline, qui était la plus méchante, « c'est la pomme qui a perdu Adam et Eve ». C'est pas un beau souvenir, ça... Mais ça m'a pas dégoûtée des pommes. Heureusement car Germaine a apporté un chausson plein de marmelade, qu'elle a fait elle-même. Elle est confuse de ce que son gâteau n'est pas présentable, très raplapla :

« C'est à cause de Carlotta. Quand ze l'ai sorti du four — pas la cienne, le çausson aux pommes — ze l'ai posé sur la table de ma cuisine pour qu'il refroidisse, avec un grand papier dessus, pour que les mouches ne viennent pas s'y coller. Et Carlotta, attirée par la çaleur, est allée s'asseoir là, croyant qu'il s'azissait d'un nouveau coussin. Ça s'est d'ailleurs enfoncé comme de la plume... Mais il est bon quand même, vous savez... »

Sûr qu'il est bon... Je m'en lèche les doigts, avant le café — que Germaine a tenu à moudre à la main, dans le vieux moulin de Philomène — et le petit verre de prunelle. On est drôlement bien là, assis par terre devant le feu, qui a remplacé ses grands cris de châtaignes et d'huile grésillante par le murmure des dernières braises. Médor a mis sa tête sur les genoux de Germaine, Blanchette a passé son museau dans la poche de Philomène, et ma cabrette nouvelle-née s'est endormie dans mes bras. Au fond de la pièce gît la masse sombre du reste du troupeau, qui met comme une buée dans la soupente. Dehors, la pluie qui nous avait prises en chemin n'a pas cessé et tape à grosses gouttes sur la vitre de la petite fenêtre. On berce nos digestions et nos animaux. C'est comme la Crèche et l'Adoration des bergers. Il ne faudrait jamais sortir de cette nuit-là : dehors, on nous attend pour nous crucifier.

Cette fois encore, j'ai mal dormi. Le fait, décidément, devient courant. Où sont donc passées les nuits de plomb que je connaissais jusqu'à cet été ? J'ai toujours plus de mal à tomber dans le sommeil, d'abord de ce que je me raconte la kermesse ou Jean-Marie, et tout ce cinoche passant sur l'écran de mes paupières closes me tient éveillée ; puis, enfin endormie, je rêve beaucoup, et ça tourne souvent mal. Aujourd'hui, j'ai fait un songe qu'avait eu saint François : j'étais une poule débordée par une couvée trop nombreuse. Il faut dire que, dans cette fin de nuit frileuse, j'en compte trente, de poussins saint-crépinois. Je n'en ai pourtant que dix-sept dans ma jeune classe de catéchisme, mais ces petits-là, qui sont les plus fervents, ont débauché leurs aînés. Ces chérubins se sont levés dans l'obscurité, habillés dans le silence, descendant les escaliers paternels pieds nus, pour être certains de n'éveiller personne. Ils sont sortis avec des mouvements très doux et très lents, comme dans des films au ralenti, et, le cœur battant de faire des choses interdites, ils se sont mis à courir, toujours pieds nus pour les plus peureux et les plus pressés, ou marchant sur leurs lacets et trébuchant de ce que l'émotion et le manque d'habitude leur avaient mal fait nouer les cordons de chaussures. Ils sont arrivés par petits groupes chez moi, entrant du froid et du noir dans ma chaleur, où les attendait du lait chaud en abondance. Je ne les ai pas vraiment entendus arriver, tant ils sont légers ; c'était alors comme des apparitions célestes, des chérubins aux bouches remplies de buée ; ils sentaient encore le sommeil, et leurs yeux papillotaient ; les plus jeunes étaient joyeux d'être sous mon aile, mais les grands, déjà, étaient graves et serraient très fort les mains des plus petits. Joss est arrivé le dernier, car, promu mon lieutenant d'arrière-garde, il a sillonné toutes les rues du village jusqu'à être certain qu'aucun de ces agneaux n'était égaré. Il est tout essouflé et tète ce qui reste de lait avec grand bruit et visible satisfaction de son importance, pendant que je forme les rangs de mon armée. Ils avanceront par front de quatre, les plus vieux encadrant les plus jeunes, Joss fermant la marche afin d'éviter qu'aucun ne traîne : notre force, et notre seule façon d'éviter le danger est de n'avoir pas de retardataires. Je marcherai en tête, chantant l'Ave Maria ou récitant saint François, portant sur mon dos la dernière des Tatin, que ses frères ont dû emmener malgré son âge — trois ans — ses pleurs menaçant de réveiller leurs parents. Derrière, ma troupe fera le maximum de bruit. Ils ont tambours, crécelles, sifflets sortis de leurs caisses à jouets, et Joss exhibe fièrement les cymbales de la fanfare municipale, qu'il a réussi à faucher à son père. Ses poches sont bourrées de carambars de l'épicerie maternelle, et des cartouches dérobées à l'arsenal familial. Ils sont trois à être chasseurs dans cette maison-là, soit un sixième de l'ennemi...

Car les ennemis sont partout, en cette aube d'ouverture de chasse, mais ne seront pas les vainqueurs. Ce matin, nous précéderons les chasseurs pour mener grand tapage dans les bois de la colline, alors les oiseaux gagneront les plus hautes cimes ou les plus secrètes branches, les lièvres se tapiront en leurs terriers, et le dernier renard s'enfouira au plus profond trou.

« Loué sois-tu, mon Seigneur, avec toutes tes créatures... »

... et Médor que tu nous envoies, avec quelques congénères qui nous escortent avec force aboiements, ajoutant encore à ce terrible tintamarre :

« Loué sois-tu, mon Seigneur, pour Sœur Lune et les étoiles... »

Qui vont pâlissant dans le jour nouveau que salue la première alouette...

Alouette, gentille alouette,
Alouette, ne seras plumée ;
Ni la queue, ni le bec,
Alouette...

« Loué sois-tu, mon Seigneur, pour frère Vent... »
qui porte loin notre fracas, menant ici les chasseurs
dépouillés de leur carnage, et les mères stupéfaites
devant les lits vides de leurs enfants. Quel tableau
dans ce bois encore humide de nuit que ces hommes
kaki, bottés, armés, carniérés, encartouchés, et ces
femmes serrées dans leurs robes de chambre ou leurs
manteaux hâtivement passés sur leurs chemises.
Brutalement le silence s'est fait, peur dans nos rangs,
hébétude dans ceux d'en face, d'où s'avance le curé,
un drapeau blanc dans la voix :

« Madeleine, qu'est-ce qui se passe ? Qu'est-ce qui
t'a pris ? A quoi rime cette folie ?

— Loué sois-tu, mon Seigneur, pour ceux qui
pardonnent pour ton amour,
   et qui subissent injustice et tribulation ;
   et bienheureux ceux qui persévèrent dans la paix,
car par toi, Très-Haut, ils seront couronnés.

— Mesures-tu bien le danger auquel tu as exposé
ces enfants que je t'avais confiés ? Ils pouvaient être
blessés ou tués...

— Loué sois-tu Seigneur, pour notre Sœur la
Mort corporelle.
   à qui nul homme vivant ne peut échapper ;
   malheureux ceux-là qui meurent en péché mortel ;
   mais bien heureux ceux qui ont accompli tes
saintes volontés,

car la seconde mort ne pourra leur nuire.

— Mais enfin... ça n'a aucun sens...

— Tu ne tueras point. »

Là-dessus, Sophie Tatin s'est évanouie, sa petite s'est décrochée de mon dos pour courir vers elle avec ses frères, suivis de toute la troupe, à l'exception des chiens. Le village s'est refermé comme une boule sur ses enfants et a disparu, laissant au curé le soin de me ramener à la raison. Il voulait s'approcher pour n'avoir plus à crier, mais Médor, assis à mes pieds, a grondé, bientôt imité par les autres. Il ne manquait que la neige pour qu'on se croie dans *Le miracle des loups* que j'ai vu l'an passé au cinéma de Merey. Parce qu'il faut savoir que la belle scène du film où que l'héroïne se caillait les miches au milieu des loups, elle a été tournée avec des chiens, auxquels on avait passé des élastiques autour des oreilles et des babines pour que tout ça redresse de façon fauve très méchant. Et quand le héros, joué par Jean Marais, s'est approché de celle qu'il aimait, les loups-chiens sont retournés dans les chenils de derrière la forêt. Mais dans mon histoire, sûrement que Jean Marais ne m'aimait pas assez car ma meute ne semblait pas décidée à rentrer dans ses tanières. De toute façon, il n'y avait pas urgence, vu qu'ici le temps est plus clément à cette saison. Il n'y a guère qu'en février, et encore, pas chaque année, qu'il y a autant de neige que dans ce film-là. Mais ça n'a jamais atteint les hauteurs qui étaient dans *Le docteur Jivago*. Vous me direz : celui-là, c'était déjà plus à l'est... Toujours est-il que, grisée, trouvant que j'avais là un encore plus beau rôle qu'à la kermesse — enfin, je jouais une tragédie, où que j'allais peut-être finir mangée par Médor qui n'avait plus de touristes pour nourrir son appétit — je me mis à genoux. Dommage que ça manquait de public... Le curé, pour ne pas être en reste, vu que c'était tout de même plus son boulot que le mien, a fait de même. Mais il était évident qu'il tiendrait moins longtemps, n'ayant pas pris la précaution que j'avais prise, moi, de confectionner sous les rotules un coussinet de feuilles mortes. C'est alors que les chiens, qui commençaient à s'emmerder de voir que notre croisade tournait au musée de cire, sont partis derrière Médor. Jean Marais est venu me relever, exactement comme dans le film, sauf que j'avais les genoux plus sales que la robe de l'actrice, et, au petit trot de nos coursiers imaginaires, nous avons rejoint le roi et la cour chez Dame Tatin, remise de ses frayeurs, et dont le mari offrait une tournée générale aux chasseurs bredouilles. Le marc par-dessus le froid de l'aube et l'émotion générale avait déjà fait son effet quand nous sommes arrivés : les Indiens ne m'ont pas scalpée, seulement accueillie d'un immense éclat de rire qui m'a glacée... quand est-ce que je serai prise au sérieux ? Ne pouvant être aimée, il eût été bon, pourtant, d'être au moins haïe... Comment j'ai dit ? Ne pouvant être haïe, il eût été — ah ! c'est chic : utété — bon, pourtant, d'être moins aimée... Non, c'était pas comme ça... De toute façon, je trouve ça plus beau que du Courteline... Seuls, les enfants étaient muets, avec un peu de rancune dans l'œil. J'ai eu droit au marc, comme les autres, offert d'un triomphal : « Bois donc un coup, Jeanne d'Arc : ça te remettra les idées en place », qui a achevé de mettre par terre mon lyrisme. On m'a enfin laissée pleurer dans mon coin, pendant que le curé interrogeait Joss sur mes leçons de catéchisme. Sophie Tatin est venue me donner un mouchoir et me tapoter le crâne d'une maternelle tendresse :

« Ça n'est rien, mon petit... Ils oublieront. Tu peux rester à déjeuner avec mes enfants ce midi, si ça te dit. Raconte-leur toutes les histoires que tu veux. Mais ne leur mets pas en tête de les vivre, tes contes. Ici, il y a plus d'ogres que de fées, et plus de pécheurs que de saints. »

Tout est dans l'horoscope. Suffit de savoir lire. « Pour les natifs du premier décan, il serait bon d'oublier les erreurs passées : la nostalgie n'est plus ce qu'elle était. Si Vénus vous néglige, Mars vous favorise : soyez entreprenant dans les semaines qui viennent. Rentrée d'argent. Un ami vous veut du bien. Attention au foie », disait le mien. J'ai immédiatement traduit que je ne devais pas regretter de n'être plus chargée des leçons de catéchisme, que j'allais toucher de l'argent en faisant les vendanges, mais qu'il faudrait que j'y sois plus sobre que l'an passé au dîner de clôture ; le problème, c'est Vénus et Mars : je ne connais personne de ces noms-là. Quant à l'ami, je n'ai pas deviné. Sauf si « l'ami » peut être « l'amie », auquel cas il pourrait s'agir de Mlle Blanche, avec laquelle je passe le dimanche, pour l'aider à ramasser des fruits et faire des confitures. Pour les mûres, nous sommes de bon matin dans le chemin qui mène chez le député, bordé de ronciers — pas le député (quoique lui non plus on ne peut pas toujours l'approcher sans s'égratigner un peu) : le chemin. Une chance pour nous que ça ne soit pas sur la route de l'école parce qu'il ne resterait rien pour notre cueillette. Mais les députés, ça se réfugie toujours sur les hauteurs, loin du bruit et de la foule qui les a élus. Sans doute qu'avec le recul, on juge mieux les choses ; au-dessus des mêlées ou sur la touche, on fait mieux les arbitres.

Je n'ai même pas de remords en entendant sonner la messe que je vais rater pour la première fois de ma vie, à cause de cette cueillette : j'ai trop de rancune contre M. le curé et celles de ses ouailles qui ont été unanimes à m'enlever les enfants du catéchisme. J'étais indigne d'enseigner. Qu'est-ce qu'ils en savent puisque les voies de Dieu sont impénétrables ? Si c'est comme ça, qu'ils fassent leur petit fricot ensemble, moi je ne mettrai plus les pieds à la messe. D'autant que depuis vingt-cinq ans que j'y allais, je la connaissais par cœur la mise en scène. Ceci est le sang du Christ, le corps du Christ, allons donc ! j'ai jamais reniflé qu'un peu de pinard dans les burettes et jamais mâché autre chose qu'une rondelle de caoutchouc avec l'hostie. M'est avis que ça n'est pas au point et que c'est pourquoi faut baisser la tête au coup de clochette qui marque la communion, pour ne pas voir que tout ça n'est que poudre de perlimpimpin... Alors, saint François, quand il en a eu marre de tous ces salamalecs, il a raté la messe et est parti dans la colline. Comme moi, quoi, sauf que lui ça n'était pas avec des projets de confiture.

Je prends garde à ne pas détruire les toiles des araignées or et noires qui guettent les dernières guêpes, entre les mûres. Mais je peux pas résister, des fois, à leur faire des farces : je chatouille leurs ventres replets d'un brin d'herbe, et elles font les mortes, totalement immobiles sous les feuilles où je les ai découvertes ; ou je jette quelques graminées entre les fils de leurs tapisseries, et, ménagères consciencieuses, elles se précipitent sur le désordre pour l'expulser sans plus attendre, de tous leurs membres véloces. Sûr que si Mariette avait autant de bras qu'elles ont de pattes, elle verrait plus vite la fin de son service chez le député. J'ai tout de même délivré un gros criquet vert, trop beau pour finir en pâté, et trop gros pour une seule araignée : il lui aurait duré au moins toute la saison, ça l'aurait mise au chômage, et le chômage, on voit ça tous les jours dans les journaux, ça conduit aux dépressions nerveuses. J'ai libéré une coccinelle aussi, en souvenir de celle qui avait tenu compagnie à Jésus sur sa croix. Il se pensait abandonné de tous, même de son père du ciel (celui de la terre était déjà mort), quand il a entendu une petite voix qui lui disait : « Moi, je suis encore avec toi » ;

c'était une coccinelle posée sur les épines de sa couronne ; elle est restée avec lui jusqu'à la fin, et, quand il a rendu l'âme, c'est elle qui l'a emportée au Paradis, sur ses ailes. C'est depuis ça qu'on l'appelle la bête à Bon Dieu...

De temps en temps, au lieu de mettre les baies dans le seau, j'en mange un peu. Elles ont toutes un goût différent. Il y a les timides, qui demeurent rouges à l'ombre des feuilles et qui, jamais mûres contrairement à leur nom, s'écrasent d'un claquement sec sous la dent et donnent à la langue un jus acide, qui fait redresser les papilles ; les gaillardes, très en avant du roncier, offrent leurs têtes noires au soleil, s'enflent, comme la grenouille de la fable et se crèvent sous mes doigts qui les cueillent, et que je lèche gloutonnement.

Nos récipients bien emplis, nous rejoignons la maison de Mlle Blanche pour déjeuner et commencer la confection des gelées dont elle a la spécialité. Elle en vend chaque année quelques pots chez les sœurs Rieux, anciennes concurrentes des parents de Joss ; entre vieilles filles, faut se soutenir. Elles sont de la même génération toutes les trois. Mais Mlle Blanche est moins curieuse que les deux autres. Elles avaient le seul commerce du village dans leur jeunesse : un café-épicerie qui faisait aussi cuisine, parce que ça résolvait le problème d'être à la fois à la buvette, derrière le comptoir et aux fourneaux. On trouvait tout chez elles, même le journal. Puis Perduvent est arrivé, Choupinet ensuite, qui leur a pris les quelques ivrognes de Saint-Crépin, et, enfin, l'épicerie centrale. Alors, petit à petit, leur coin-cuisine a mangé leur boutique. Et, un beau jour, elles ont remplacé, dans la vitrine, les dernières boîtes de conserves par des plantes vertes. Elles ont mis, derrière les pots de géranium, un rideau, et ont décidé qu'elles ne tenaient plus commerce, hormis, justement, pour les confitures de Blanche. Elles n'ont rien changé à la disposition de ce qui fut leur magasin, et ça surprend un peu la première fois qu'on entre chez elles. Surtout si c'est l'heure du déjeuner, parce qu'elles mangent à leur ancien bar, côté clients, perchées sur de hauts tabourets. Elles ont gardé les trois tables de bistrot, rectangulaires, en leur donnant une nouvelle vocation : la table couture-tricot, avec le panier à ouvrages et les ouvrages en débandade, la table-lecture, croulant sous les journaux de l'année, et la table à jeu, avec les dominos, les cartes, les petits chevaux ; la caisse est devenue bureau, et les rayonnages des murs sont remplis de bibelots posés sur des napperons de leur confection, qui débordent toujours des cases, si bien qu'on se croirait à une exposition de crochet. Ce soir, quand les confitures seront terminées, on ira là-bas et on jouera une belote.

Pendant que Mlle Blanche fait de la dentelle gourmande avec les mûres, j'épluche les pommes. Je m'amuse à faire des pelures très fines et très longues, qui mettent comme des serpentins dans notre fête d'automne, et je garde tous les pépins : quand il seront aussi secs que ceux des melons que j'ai mangés durant l'été, je ferai des colliers pour la vente de charité de M. le curé... Mais... j'oubliais, je suis fâchée avec lui…. Qu'est-ce que je ferai des colliers alors ? Je dois réfléchir à la question. Je ne peux tout de même pas les donner aux enfants de catéchisme, j'aurais l'air de narguer l'abbé. Ni les donner à Germaine, elle a de quoi s'en offrir des plus beaux. Ni les garder pour moi, parce qu'ils piquent un peu le cou et collent aux vêtements quand le vernis s'en va (pour qu'ils soient plus beaux, plus brillants, je les peins comme Germaine fait avec ses ongles).

La maison est pleine de l'odeur des fruits cuits et du sucre. C'est un parfum que je trouve triste, parce qu'il est comme un cœur de grand-mère. Mlle Blanche, elle a même connu son arrière-grand-mère. Y a une photo impressionnante dans le salon, avec les quatre générations de sa famille. Mlle Blanche était alors un bébé sans cheveux sur les genoux de sa mère, belle personne raide dans la robe de moire posée sur le corset sanglé qui était de mode, et auquel les trois aïeules, à voir les rondeurs souples de leurs vêtements, avaient renoncé. Il y a aussi une jeune tante, éclatante de santé sous la brioche de son chignon, un petit garçon en costume marin, le père, une main posée sur celle de l'enfant, l'autre caressant un chien de chasse, et un grand-père, chenu comme un père Noël. Tous ces gens, à l'exception du bébé, sont plus maintenant que des os blanchis sous les dalles du cimetière. Mais la maison derrière eux est la même qu'aujourd'hui, avec la glycine courant sur la véranda et l'ombre du pommier sur le haut des volets ouverts, où sont crochés des fers à cheval.

« Madeleine, je suis bien fatiguée pour affronter le

bavardage des Rieux ce soir. Si nous leur portions demain nos confitures ? Est-ce que ça te suffira pour dîner des œufs au plat, du fromage et des pommes au four ? »

Jusqu'à cet été, on m'appelait Mado. C'est Jean-Marie qui a, le premier, dit mon prénom... C'était normal, on avait pas de passé commun autorisant les familiarités ; mais le curé aussi m'a appelée Madeleine, le jour de l'ouverture de la chasse ; et, maintenant, Mlle Blanche. Est-ce qu'y m'aiment moins ? Le curé, ça pourrait être ça, mais la faiseuse de confitures, ça doit être autre chose.

« Pourquoi vous dites Madeleine à la place de Mado, Mademoiselle Blanche ?

— J'ai dit Madeleine ? Je n'ai pas fait attention... Je ne sais pas... Tu crois que c'est important ? Tu aimes mieux Mado ? »

Elle en a la fourchette en l'air d'étonnement de ne pas s'être entendue.

« Je sais pas ce que je préfère... J'étais habituée à Mado. C'était plus court, plus rond ; Madeleine, ça fait plus sérieux, ça me donne le rab de deux syllabes... Comme un supplément d'âme... On sent des angles...

— Mais le e muet final, c'est plus doux que le o, à l'oreille.

— C'est vrai : le o c'est net, tranchant, fermé... Un bloc, quoi... Je préfère Madeleine.

— Alors, à ta santé, Madeleine. Qu'est-ce que tu en dis de mes framboises à l'eau-de-vie blanche ? »

O de vie... Mad O... eau-de-vie... Blanche... c'est rigolo, ça...

« Et vos parents, pourquoi vous ont-ils appelée Blanche, comme prénom ?

— C'était le prénom de mon arrière-grand-mère.

— Celle de la photo du salon... Dites, Mademoiselle Blanche, j'aurais une faveur à vous demander : vous pourriez pas me donner un des fers à cheval de vos volets ? »

« Ou : l'alibi de qui n'ose redoubler un « ni ».

Ce que tisse l'araignée point si microscopique est à l'ordinaire un piège : ici tendu aux légions de ceux qui comme on fait d'une huître gobent le sens ; ce qui s'y fait — les refait.

D'abord « ami » que je puis dire lecteur ou peut-être tisserand comme je me le souhaite, d'abord, on les voit s'indigner : la femme traitée en galeuse parasite de l'homme ! Si bien qu'il faut changer d'espèce : c'est une coquille qui nous masque bien sûr sous la bestiole microscopique l'arcadien bonheur. D'où l'épigraphe : « et moi aussi j'y ai vécu ». Intrigués, ils ouvrent le livre : c'est dans telle posture qu'il se vide de sens. Ainsi, de la nacrée protection qui baille l'odeur d'iode. Nul bonheur d'expression en ces valses ouvertes. Mais intrigués, soudain, ils ferment le livre. Car ils ignorent que tout titre est une couverture pour les activités illicites du scripteur. S'ils avaient eu mémoire du Montévidéen, ce faux ami aurait pu devenir, politesse faite à Maldoror qui précède, leur ami en second : j'ai nommé, à sa suite, qui produit la gale, l'acarus sarcopte. Aussi mâle antiphrastique de ce qui, sous mon nom, s'annonce (s'énonce), je n'ai plus, renversant l'échelle et jouant de la commune horreur qu'elle inspire, point ne le nie, qu'à inscrire cette manière de redondance au précédent : « La mygale ou le retour de l'euphémisme. »

Pour ce qui est d'être déçue par le livre de Jean-Marie, je suis vraiment déçue, et j'ai pas lu plus loin que ces premières lignes. J'étais pas sûre que ça me plaise, mais je croyais au moins pouvoir comprendre, puisque c'est écrit en français. C'est un peu comme un dictionnaire ou un annuaire, les mots n'ont pas de relations entre eux. Et encore, dans l'annuaire, d'une ligne à l'autre, y a de commun le téléphone... Ça serait peut-être la liste de commissions qui se rapprocherait le plus, parce que le produit à vaisselle voisine avec le biftèque, les huîtres avec l'insecticide. J'ai dit ma déception au bibliothécaire en lui rendant le livre, alors il a fait une grande théorie pour défendre Jean-Marie. J'ai pas retenu un traître mot, hormis la citation finale d'un type qui aurait avancé qu'écrire c'est se retrancher... Le bibliothécaire me déçoit de mentir comme ça. Il doit trouver que ça fait chic de faire semblant de comprendre l'incompréhensible. Heureusement que la littérature de Jean-Marie n'est pas aussi montée à la tête de Germaine, je me sentirais bien seule.

« Aujourd'hui, je vous emprunte : *Vivre seule mais bien.* »

... Surtout que la couverture me fait penser à Germaine, avec le titre écrit au rouge à lèvres.

« Je pourrais regarder le dictionnaire de français, s'il vous plaît ?

— C'est pour acarien ? J'ai vu, ça veut dire...

— Non, c'est pour un nom propre. »

... Quoique Madeleine, comme nom propre... y a bien Marie-Madeleine... Jésus avait dit de ne pas lui lancer la première pierre... Non, c'était à une autre... Faudrait pas confondre femme adultère et prostituée. Parce qu'un cocu et un client, ça n'est pas pareil. Le cocuage, c'est gratuit, la tisane de matelas, c'est payant. Comme quoi, des fois, l'argent, ça fait le bonheur... Et si ma mère m'avait appelée Madeleine parce qu'elle était dans la même branche commerciale que Germaine ? J'y avais pas pensé avant aujourd'hui ! Forcément, les types qui viennent, si y a un bébé qui pleure sur l'oreiller, ça peut couper leurs effets et mettre leur Pauline sur le carreau... Parce que j'en ai fait des découvertes dans le bibliobus : quand on s'occupe pas trop de moi, je feuillette discrètement les livres d'éducation sexuelle. C'est

166

comme ça que j'ai vu des dessins et que j'ai appris que ça se redressait... Et puis après, repos, rompez les rangs... Alors ma mère, elle savait pas où me mettre pour que je dérange pas dans son magasin et elle m'a abandonnée. Maintenant, elle doit bien être à la retraite ? Pour en revenir au machin, qu'est-ce que Dieu avait comme fantaisie à la Création... C'est sûrement ça qui a donné idée aux militaires pour les avions à géométrie variable.

« Vous trouvez ?

— Oui, oui. »

Je suis devenue toute rouge, comme si le bibliothécaire pouvait lire mes pensées cochonnes sur mon visage. D'autant que j'ai bien ouvert le dictionnaire à Madeleine. J'ai le choix : « gâteau léger, fait de farine, d'œufs, de sucre, de citron, etc. ». Ma mère était pâtissière ! C'est pour ça que je suis si gourmande ! Employée, seulement, et pour pas perdre son emploi, elle a laissé au vestiaire la drôle de fève que son patron avait mis dans la galette de son ventre... « Variété de fruits dont la maturité est atteinte vers la Sainte-Madeleine ». Toute façon, pour mon signe du zodiaque, vu que je connais pas ma date de naissance précisément, j'avais déjà choisi celui qui correspond à cette fête. « Grottes de la Madeleine : Dordogne. Iles de la Madeleine : Canada. La Madeleine : commune de la banlieue de Lille. Monts de la Madeleine : Dordogne. » Une voyageuse, ma mère ! Surtout si elle est canadienne ! Me faire si loin et me perdre ici ! J'avais vu un beau film une fois au cinéma, qui se passait au Canada : *Maria Chapdelaine,* ça s'appelait.

« Et vous n'avez pas « La Madeleine » de Proust ?

— Il ne s'agit pas d'un livre, mais...

— Ah ! je croyais, c'est Jean-Marie qui m'avait parlé de ça, au sujet de mon prénom. »

J'ai encore dû dire une ânerie, vu le rire du bibliothécaire. Il faudrait mieux que je renonce définitivement à m'illustrer de ce côté-là. Pour la vente de mes calendriers, je suis plus au point. Paraît que cette année je vais devoir les placer dès le début de décembre, parce que, pour ramasser des sous, faut passer avant les pompiers et les poubelles. C'est quelque chose que j'aime faire, parce que ça allonge mes tournées. Je suis toujours bien reçue. Les gens me glissent un billet, m'offrent une tasse de café ou un verre de vin, pour me ravigoter du froid qu'est arrivé. J'ai un grand jeu ce jour-là : deviner le choix de mes clients. C'est pas trop difficile, parce que c'est rare qu'ils changent de genre d'une année à l'autre. Ils sont de trois types, mes calendriers : les paysages, les enfants et les animaux (ça pourrait faire deux espèces, ça, mais comme il y a à la fois les enfants seuls, les animaux seuls et les enfants avec des animaux, je compte une seule variété), et les dessins humoristiques. Le plus difficile, c'est de deviner quelle est, à l'intérieur de l'espèce, l'unité qui sera choisie. C'est la théorie des ensembles et des sous-ensembles m'a dit Perduvent l'année dernière, quand je lui expliquais mon jeu. Lui, il prend toujours des chats, pour faire plaisir à Messaline... Qu'est-ce qu'il me prendra le bibliothécaire ? Les enfants et les animaux, ça a pas l'air de beaucoup l'intéresser — il est toujours inquiet quand Mlle Blanbouillon vient dans son camion avec sa classe, et il a viré Médor quand il était arrivé avec ma culotte —, des paysages il en voit pas mal dans ses tournées ; probable qu'il prendra un dessin comique. Surtout que ce sont les seuls qui ont quelque chose d'écrit sous l'image, alors, pour un intellectuel comme lui, c'est juste ce qu'il faut...

« Et quelque chose sur l'Italie, vous avez ? Parce que l'année prochaine, j'irai en voyage là-bas avec une amie.

— C'est un pays que Jean-Marie aime beaucoup. » Jean-Marie... Jean-Marie... Commence à me pomper avec Jean-Marie. Y a pas que lui a être allé en Italie. Il y aura nous. Et puis, Jean-Marie par-ci, Jean-Marie par-là... Il est parti. Moi je suis encore là. J'existe, moi. Il a pas l'air de s'en apercevoir, le bibliothécaire. Pour lui je suis seulement la carte 125, avec ma photo, qu'il a agrafée en plein sur l'œil, sans prendre garde que ça me donnait l'air stupide. Alors, moi j'ai signé un peu plus à droite qu'il n'aurait fallu, juste sur le numéro de la carte ; comme ça lui aussi, il regarde d'un sale œil... Parce que, d'accord : il est célibataire, le bibliothécaire, mais il est aussi fonctionnaire... Vous me direz, moi aussi ; mais moi, je transige, j'outrepasse : avant de faire mon devoir de fonctionnaire, je fais mon devoir d'homme. De femme, je veux dire. Je répartis mieux le courrier, quand j'en donne à Philomène ; je prends connaissance des télégrammes, et s'ils contiennent de bonnes nouvelles, je filoche pour les donner, s'ils en annoncent de mauvaises, je musarde comme Médor avant de me décider à les porter ; et arrivée chez le destinataire, je tourne encore un peu autour du pot avant de me décider d'en venir au fait. Le plus souvent, c'est du malheur qu'il y a dans ces petits papiers-là, comme si les gens n'étaient pressés d'annoncer que les chagrins, et, que pour les bonheurs, on ait tout le temps. C'est à croire qu'ils sont tout le temps heureux, et que le malheur c'est l'exception dans leur vie... Mais le bibliothécaire, lui, sérieux, sérieux : faut avoir sa carte, ne pas rendre ses livres en retard, ne pas emprunter plus de deux à la fois ; s'il a pas ce qu'on veut, on peut inscrire une « suggestion d'achat » sur le grand cahier, mais, là aussi, il s'agit pas de demander n'importe quoi. Enfin... qu'il dit, parce que, à moi, il a refusé *Tintin et Milou*, alors que, sur les conseils de Jean-Marie, il a acquis *Zonzon Pepette, fille de Londres,* qui m'a tout l'air d'être un truc de gaudriole, avec une dame nue sur la couverture, et *L'érotisme du pied et de la chaussure,* qui semble pas plus sérieux.

Pendant les vendanges, mon rôle consiste à porter la hotte, des vendangeurs aux cuves de la coopérative. J'aurais pu choisir d'être cueilleuse, mais je préfère marcher qu'être toujours courbée. Et puis, ce truc dans le dos, ça me dépayse pas trop c'est comme être la factrice des vignes. Ou le père Noël de Bacchus — Bacchus, c'est un copain à Perduvent : « Bacchus est mon ami », qu'il répétait à chacun de mes passages cet après-midi. Je vois du monde, je tiens la conversation à chacun. « Couvrez-vous d'un chapeau de paille ou d'un mouchoir noué aux quatre coins », que je disais à Perduvent qui s'entêtait à ne mettre sur sa calvitie qu'une couronne de feuilles de vigne. On apprécie ma force. Chez les religieuses, quand on faisait des sports d'équipe, on me mettait gardien de but, en espérant que, dans les filets, je ferais moins de blessés que sur le terrain ; on me disait toujours que j'étais une brute ; maintenant, ici, on se répète que je suis costaude, d'une grappe à l'autre, avec un brin d'admiration. Il y a les ouvriers saisonniers qui vendangent, et qu'on connaît jamais vraiment car, d'année en année, ce sont pas les mêmes, et puis les Saint-Crépinois, pour la vigne à Choupinet. Cette année, je suis la seule femme de l'équipe. J'y avais pas prêté attention pendant les trois jours de récolte, mais, à cette heure que nous voilà entre nous, au dîner de remerciements chez Choupinet, ça me frappe. L'an passé, y avait Mariette, qui s'est cassé le poignet il y a deux semaines, et Sophie Tatin qui n'a pas très bonne forme depuis quelque temps et a dû renoncer à vendanger. Je suis assise à la droite de Choupinet, qui préside au bout de la table, pour être plus près de sa cuisine. En face, j'ai Perduvent (qui ferme toujours sa librairie à pareille époque) assis à côté de M. l'abbé ; mon autre voisin est Bérubo, et, après, viennent Albert, Auguste Tatin, Sylvain Biquet et le fils Menu (tous les deux sans emploi, l'un ayant terminé l'école en juin dernier et l'autre son service militaire en septembre), enfin : M. Plantu, vendangeur pour la première fois, parce qu'il a du temps libre depuis qu'il est à la retraite. Il paraît même qu'il s'emmerde, et que Mme Plantu lui mène une vie impossible parce qu'elle le trouve toujours dans ses jambes. C'est que, du temps qu'il travaillait, ce devait être plus facile de rencontrer Etienne Blanchet : il quitte la scierie à cinq heures, alors que le receveur était coincé à la poste jusqu'à sept. Pensez donc les cinq à sept qu'ils avaient Etienne et Léocadie (« ma Léo », que disait toujours Plantu, au plus grand agacement de la dame en question). Une fois ils ont été surpris dans les bois de Sainte-Marie, par Bérubo qui traîne toujours par là sa nostalgie des maquis. « Les mains en l'air, qu'il leur a dit, tous à la Kommandantur, camarades. » Léocadie en est tombée dans les pommes — d'autant que sa mère avait été tondue à la Libération — et Bérubo en a profité pour se rincer l'œil sur la cuisse découverte de l'amoureuse. Pas longtemps, bien sûr, parce que l'œil, justement, Etienne lui a poché pour lui apprendre à faire de pareilles blagues. Tout le village a bien ri de l'histoire ; parce que Bérubo, le cocard disparu, l'a racontée. Y a que M. Plantu à pas la connaître. Bérubo est un brave gars, mais il est resté un peu sonné de la guerre. Il était chef de la résistance ici, et, sur une dénonciation (on n'a jamais su qui), il a été pris et torturé par les Allemands, et, depuis, c'est un peu comme si la marche du temps s'était arrêtée dans sa tête : il ne parle que de cette époque-là.

« J'en ai connu une de Madeleine, il y a longtemps. Elle était juive et, avec ses parents et sa sœur — qui s'appelait Esther si je me souviens bien — je les ai conduits en zone libre, de nuit, par la Loue. Il faisait un froid terrible, avec un brouillard qui nous facilitait bien les choses. La mère pleurait en silence, et le père tenait serrée une petite valise où il avait toute sa fortune.

— Moins ce que tu lui avais piqué pour la promenade en barque. »

Ça y est, ils vont encore s'engueuler, l'ancien passeur et Choupinet... Perduvent essaie d'arranger les choses, comme d'habitude :

« Il fallait bien des fonds pour la résistance. »

Même l'abbé s'en mêle :

« Certes, les Juifs ont crucifié Notre-Seigneur... »

On n'a pas idée non plus d'en clouer un si célèbre. S'ils avaient fait le coup à Barrabas ou à Ponce, y auraient peut-être eu moins d'ennuis après.

« ... Mais saint Jean Chrysostome, surnommé saint Jean Bouche d'Or disait, du temps qu'il avait à résister à l'impératrice Eudoxie, qui fut à Arcadius bien plus qu'Eva Braun ne fut à Hitler... »

Lui, le curé, ça serait plutôt Bouche d'enfer. C'est pas étonnant qu'il perde des clients pour la confession : son haleine frappant de plein fouet les nez délicats derrière le guichet cloisonné, on dirait un avant-goût de la turne à Satan. Je ne saurai jamais la suite pour le saint en question car j'ai à cuisiner avec

Choupinet. D'habitude, c'est Mariette qui fait le marmiton, mais comme cette année je suis la seule femme, c'est normal que ce soit moi qui aide le cuistot. Il nous a gâtés, on peut dire : pâté de lièvre maison (pardon saint François... J'en ai mangé... D'ailleurs en six mois, je n'ai pu compter ni sur Austreberthe, ni sur Antoine, ni sur François. Je suis bien lotie avec ce tiercé-là. Marguerite, Catherine et Michel, c'était quand même autre chose avec Jeanne d'Arc); chevreau aux flageolets du jardin et aux champignons des bois (je mangerai que les légumes, parce que la viande ne passerait pas : c'était un demi-frère de ma filleule), salade feuille de chêne, Saint-Nectaire et Saint-Paulin pour les fromages, Saint-Honoré pour le dessert.

« ... quand ils ont créé Israël, en 1947... »

Après la guerre, la politique... Manque plus que le sport. C'est pas très drôle la conversation des hommes... J'essaie tout de même de m'intéresser :

« C'est vrai, ça : pourquoi on les a mis là-bas ? Puisque ce sont les Allemands qui ont fait le coup, au lieu d'aller emmerder les Palestiniens, y avait qu'à mettre Israël en Allemagne. Et, pendant qu'on y était, rendre l'Amérique aux Indiens. »

Au silence qui s'ensuit, je peux être fière de moi : ils n'avaient pas pensé à cette solution-là... Je dois avouer que, pour les Indiens, Germaine m'a un peu aidée à réfléchir, en disant que Marlon Brando (l'acteur qu'on avait vu ensemble dans *Le parrain*) est le Yasser Arafat des Peaux-Rouges. Je profite de leur stupeur pour ramener la conversation à des choses que je connais mieux :

« Ils sont bien bons les champignons que vous avez ramassés, Monsieur Perduvent, j'en ai jamais mangé de cette variété-là.

— Il s'agit d'hygrophores rouge ponceau, et celui que tu as au bout de ta fourchette, c'est une amanita vaginata, comestible, à l'inverse de son lubrique compère, le phallus impudicus ou satyre puant. Je n'ai hélas pas trouvé d'inocybe de Patouillard. »

J'ai perdu une occasion de me taire, de la botanique maintenant... Peuvent pas être plus simples ? Si j'étais Germaine, je dirais : « Vous me faites chier, les mecs, je me tire », mais je suis pas Germaine, et les champignons sont vraiment bons, je mangerai jusqu'au dernier.

« Certes, il ne s'agit pas de ceux de Messaline, et nul ici ne s'appelle Claude ! » rigole Perduvent... Parce que sa chatte mange aussi des champignons ? Drôle de bestiole. Virgile n'aimait que la viande et le poisson.

« En vérité, on a dit bien du mal de Claude, mais...

— ... au moment de la chute des feuilles, le maquis, c'était plus difficile... »

Personne n'écoute plus personne. Le vin aidant, chacun parle dans son coin. Le libraire latinise, l'abbé prêche Bérubo, qui a quitté la table, mime des scènes de guerre, sous l'œil goguenard du fils Menu, qui, sortant de sa caserne, trouve à redire sur la façon dont Bérubo tient sa mitraillette imaginaire, Sylvain Biquet décrit sa petite copine du prisunic de Merey à

Auguste Tatin qui n'entend pas, impatient de rentrer auprès de son épouse patraque, Albert évoque son service chez le député à M. Plantu qui raconte son histoire d'amour avec les P.T.T. Sûr que nous, ses employées, étions plus gentilles avec lui que sa Léocadie ; mais nous, on l'avait pas éprouvé dans un lit. Paraît qu'il ronfle et qu'il pète à en réveiller les voisins. Alors, Mme Plantu, qui est une personne délicate, préfère Etienne Blanchet, qui n'émet qu'en silence. Ça lui arrivait même des fois à la poste, de se laisser aller, M. Plantu. Il se penchait un peu sur le côté, pour que le pet ne reste pas coincé entre son postérieur et le siège, mais puisse s'échapper de façon commode. Et il toussait pour couvrir le bruit. Mais nous n'étions pas dupes. Fernande faisait même la comptabilité de ces gaz directoriaux, pour se divertir des bordereaux et des coups de tampons... Aujourd'hui, avec M. Bléfour, c'est plus pareil : elles l'aiment trop pour se moquer, toutes les deux, l'ambiance est plus la même à la poste. Alors moi je prends mon courrier et je m'en vais rapidement.

« Ah ! la délicieuse Chantilly que vous nous faites là, Choupinet. Celle de chez Drouant n'était sûrement pas de cette qualité, pour qu'on l'ait lancée à la tête d'un membre du Goncourt, il y a quelques années... Avez-vous noté que nous sommes dix, comme eux ? Je rouvre toujours mon magasin le jour de l'élection. D'après M. Billemplon, qui s'occupe du bibliobus, le meilleur candidat serait, cette année... »

J'y pensais plus aujourd'hui au bibliothécaire et à ses faiseurs de livres, c'est pas Perduvent qui va venir me gâter la soirée avec eux ! Je préfère encore me réconcilier avec M. l'abbé que d'entendre ça...

Paris

Mardi

Ma chère Madeleine,

Le voyage a été très gai, et encore plus le défilé. C'est chouette d'être, pour quelque chose d'important, sans hommes, enfin... Les journaux prétendent que nous étions cinq ou dix mille, mais Arlette — une militante avec laquelle j'ai dîné après — dit que nous approchions sûrement les quarante mille. Tu te rends compte : quarante mille femmes dans la rue ? Comme en Irlande pour la paix, comme en Argentine contre la mort. Il est temps que nous remuions tout de même : depuis le temps que nous nous écrasons. J'ai appris beaucoup de choses, que je t'apprendrai ensuite. Comme je n'aime pas beaucoup écrire, pour aujourd'hui, je te résume seulement. Ce que je veux surtout, c'est que tu ne t'inquiètes pas de ne pas me voir revenir au jour prévu : Arlette m'héberge pour un moment. Elle a deux moufflets adorables, qui ne sont pas du même père et qui ont l'air de s'en foutre. *Elle les traîne partout. Ses copains sont des mecs extra, pas phallo du tout, mais complètement étonnés que je sois allée toute seule filer des pavés dans la vitrine de la pharmacienne qui refusait de vendre la pilule.*

Je vais essayer de voir Jean-Marie, jusqu'à présent j'ai pas eu de chance quand j'ai téléphoné car ça sonne toujours occupé.

Je sais pas quand je rentrerai. Occupe-toi bien de Carlotta et explique-lui.

Je vous embrasse elle et toi.

GERMAINE

P.S. Comme tu me l'as demandé, je te rapporterai une petite tour Eiffel dans une boule, avec de la neige qui tombe quand on la retourne. Mais c'est pas bien joli ; tu ne veux vraiment pas autre chose (pour la réponse, je t'ai mis l'adresse d'Arlette au dos de l'enveloppe) ? J'envoie des cartes à Philomène.

P.S. 2 J'apprends, au moment de poster, qu'il y a eu une contre-manif, complètement ratée : deux cents personnes. Et un colloque où un prof d'histoire, pourtant respectable, s'est définitivement couvert de ridicule, en disant que si l'avortement avait existé à l'époque de Jésus, « saint Jean-Baptiste, fils d'une femme âgée, aurait été victime d'un avortement thérapeutique ».

Je sais pas si c'est de la graine d'apôtre qu'elle avait dans le ventre, Sophie Tatin, mais, à ce que j'ai compris, sa fausse couche n'était pas « thérapeutique » comme disent les hommes qui causent bien de ce qu'ils connaissent mal : elle se serait mis du savon en paillettes dans l'intérieur pour faire sortir le polichinelle. Ça a réussi, tout est parti. Mais elle a failli partir avec, et une ambulance est venue la chercher d'urgence pour la transporter à l'hôpital de Merey : il fallait arrêter l'hémorragie et tout gratter pour que ça s'infecte pas. Un curetage ça s'appelle, et, de mémoire de quelques-unes d'ici, ça fait pas du bien. Surtout quand c'est fait à vif, en manière de punition, parce que des fois, les médecins se prenant pour le Bon Dieu distribuent des actes de contrition. Encore un truc qui ferait râler Germaine, qui n'avait pas à aller si loin pour s'occuper de ça. C'est sa crise de révolution qui l'a reprise. De temps en temps, faut qu'elle s'agite, qu'elle fasse du bruit, qu'elle change le monde. J'espère tout de même qu'elle sera moins longtemps partie qu'il y a quelques années. Elle était restée deux mois à Lyon. J'avais des nouvelles d'elle par le journal. Quoique c'est surtout de sa copine Ulla dont il était question. Elle m'en a parlé des semaines et des semaines d'Ulla. Comme je ne pipais pas, des fois, elle se mettait en colère, disant que je n'avais pas de conscience, qu'il faudrait pourtant que je me réveille un jour. Mais j'étais tout ce qu'il y a de plus réveillée, parce que je sentais bien qu'à ce moment-là, dans son cœur, Ulla l'avait emporté sur moi. J'ai attendu, et ma patience a été récompensée. Alors, cette fois, j'ai pas trop peur d'Arlette. Les belles casseroles flambant neuf, ça dure qu'un temps : c'est dans les vieux pots qu'on fait les meilleures potées. Et le vieux pot, c'est moi.

En tout cas, notre Sophie est bien pâle dans ses draps blancs... J'ai profité de ma liberté de l'après-midi — y a pas la levée de dix-sept heures le samedi — pour lui rendre visite, après M. l'abbé, qui, venu l'absoudre, lui a mis du baume dans le cœur en lui faisant la morale juste pour la forme :

« J'ai bien senti qu'il n'était pas convaincu. Il faut comprendre aussi, j'en ai déjà sept, et j'ai passé la quarantaine. Il est dur le pape... »

Je ne réponds pas, puisque j'ai été professeuse de catéchisme, mais j'en pense pas moins. J'ai même bien réfléchi à la question — avec Germaine qui me serinait, comment faire autrement ? — et j'ai ma petite théorie là-dessus... D'accord, Dieu a dit : « Croissez et multipliez », et le pape, c'est son boulot, il répète ; mais si le « et » ne signifiait pas « en même temps » comme ils ont tous l'air de croire, mais « ensuite » comme j'ai trouvé à force de retourner le problème. Ça voudrait dire qu'il faut multiplier après avoir grandi (oui, moi j'aime mieux « grandir » que « croisser » ; mais moi je parle comme une factrice, et Dieu parle comme Dieu). Reste à savoir si nous avons grandi. Question super-banco au jeu des mille francs. A demain si vous le voulez bien, qu'il a dit le Grand Meneur de Jeu... Et on est demain, et on n'a pas grandi. Au début, peut-être, quand on a commencé à marcher sur quatre pattes au lieu de deux, mais, après, ça s'est vite gâté : il fallait bien occuper les deux pattes avant dont on se servait plus. On a mangé avec — ça, vous me direz, c'est pas encore catastrophique — et, pour que ce soit meilleur, on a inventé le feu — déjà, c'était une invention diabolique, parce qu'en plus d'y cuire des côtelettes de dinosaure, on pouvait aussi y griller les pieds du voisin qui ne plaisait pas. Et on s'est pas gêné : voyez Jeanne d'Arc. Mais je ne vais pas vous raconter tout depuis le commencement... Passons quelques mille et centaines de mille d'années. Arrive Jésus. On croit que ça va s'arranger, mais comme on avait aussi appris à fabriquer des clous et un marteau, Jésus ne fait que passer... Et aujourd'hui, partout autour de nous il y a la mort qui rôde, visible au loin dans nos postes de télé qui nous montrent les massacres en couleur et en direct (« Même que c'est sûrement ça la crise du cinéma, dit Germaine, qu'est-ce que tu irais foutre à voir du faux au cinoche quand tu as des morts tellement plus vrais dans ton récepteur ? Regarde-moi ce salaud de journaliste avec sa mine faussement contrite... Ah ! les fumiers, ah ! les hypocrites... » C'est simple : avec Germaine, je ne pouvais jamais entendre les informations de sa télé, parce qu'elle crie toujours en même temps). Et, j'en reviens à la croissance — excusez-nous, Mesdames, Messieurs, qu'elle dirait la spicrine, mais un incident indépendant de notre volonté nous a fait interrompre l'émission un moment ; à nouveau la suite de notre feuilleton « Histoire de l'Humanité » par sœur Madeleine — il y a aussi la mort invisible et toute proche de la pollution et des bombes planquées partout. « Tiens, j'en ai marre, que se dit un jour un employé rabroué par son patron de ce que sa corbeille à papiers débordait, je vais faire tout sauter. » Et v'lan !

D'un doigt pressant un bouton, c'est l'apocalypse...
Donc : on n'a pas grandi. Alors, il faut cesser de
multiplier. Stop! Ça suffit! Marche arrière toute,
réduisez et disparaissez... Que reviennent les forêts
profondes et les grands troupeaux de buffles et
d'éléphants dans la savane... Tap-a-tap, tap-a-tap sur
le sol qui tremble au passage de la horde allant boire
dans les marigots sous la lune. Et pas un Tarzan à
faire du trapèze dans les lianes. Frutt, frutt,
s'échappe et s'envole la gazelle, du désert à la mer : ce
soir c'est concert de baleines sur l'eau vide de tueurs.
Basta pour l'homme (tiens : j'ai dit un mot d'italien!
C'est Germaine qui serait contente de ne pas m'avoir
inutilement fait partager ses leçons).

« Eh bien, Mado? C'est tout ce que tu me racon-
tes? Tu n'es guère bavarde aujourd'hui? Tu n'as
même pas répondu à ma question... »

C'est terrible ce que je deviens distraite... Avant, je
savais écouter, pourtant... Tellement bien que, dans
ma tête, il n'y avait que le vent qu'y faisaient les
paroles des autres, que j'aimais tant. Mais, maintenant, je sais pas pourquoi, je commence à les
craindre, les autres, et je réfléchis avant de dire
comme eux. Ou même, je ferme les écoutilles et je
pars en plongée, comme le capitaine Nemo. Aujour-
d'hui, c'est Sophie Tatin qui me saborde le bâtiment :

« Qu'est-ce qu'on dit de moi au village? Auguste
n'a jamais été bavard, et il ne m'a rien répété.

— Tout le monde vous plaint et vous souhaite un
prompt rétablissement.

— Me plaint ? Mais je n'en veux pas de leur pitié.

— Je me suis mal exprimée, Madame Tatin : quand j'ai dit qu'ils vous plaignaient, ce n'était pas pour ce que vous avez décidé — ça ils trouvent plutôt courageux — mais pour ce qu'on vous a fait souffrir, après.

— Sûr que c'est une brute, le médecin. Et les religieuses-infirmières sont toutes des vaches. Elles se vengent sans doute de ce que leurs culs ne servent jamais.

— Sophie, je t'interdis d'être grossière ! »

La mère de Mme Tatin, silencieuse depuis mon arrivée, a enfin ouvert la bouche. Elle est tout en noir, raide dans son fauteuil de visiteuse, les mains crispées sur son sac. Elle a dû avoir très peur pour être encore si glacée avec sa fille. A Saint-Crépin, on avait plutôt le souvenir d'une bonne personne, et ses petits-enfants, qui sont en vacances chez elle à chacun leur tour, en parlent comme d'un père Noël. Qu'est-ce que ça peut sentir une mère quand sa fille est en danger ? C'est peut-être pas une joie perpétuelle, la maternité ? Tous ces mystères que je ne saurai jamais... Elle est très pieuse la mère de Sophie, alors elle ne doit pas être contente de ce que sa fille n'écoute pas le pape.

« Tu aurais mieux fait de prendre la pilule.

— Mais il la défend aussi !

— Tout de même, ç'aurait été un moindre mal.

— Dites, Madame Vauquelin, vous ne croyez pas qu'il pourrait donner l'exemple, des fois, le pape ? Et faire des petits papillons au lieu d'aller cheniller de par le monde dans son cocon blanc ?

— C'est toi qui dis ça, Mado ? Je croyais pourtant que tu avais été élevée chez les sœurs ? On ne t'y a donc pas appris le respect du Saint-Père et de la morale ? »

J'entends d'ici ma Germaine grincer des dents quand je lui rapporterai les paroles de Mme Vauquelin : « La vie est assez moche comme ça, si on doit en plus s'encombrer de morale », qu'elle dit toujours Germaine. Moi, je sais pas bien ce que c'est la morale, parce que j'ai pas souvent l'occasion d'aller contre. Je ne prends le mari de personne, je paie mes impôts, je suis bien avec mes voisins, mes collègues, et même, à nouveau, mon chef. Il n'y a guère qu'avec le curé et les chasseurs que ça s'est un peu gâté.

Histoire véridique de saint Crépin et saint Crépinien.

C'étaient deux pauvres gars, qu'avaient pas de papa, qu'avaient pas de maman, mais qu'étaient frérots. Ils vinrent de Rome, où commençait à y avoir surproduction de chrétiens, malgré tous ceux qu'on avait donnés à manger aux lions (le chrétien, là-bas, c'était un peu pour leurs félins comme le kit-et-kat pour les nôtres, sauf que chez eux c'était tout en viande fraîche, quand chez nous c'est de la conserve), pour porter la bonne parole à ces fichus Gaulois. Lesquels, en matière de foi, avaient un peu de retard, étant encore dans les arbres à adorer le gui (qui n'est rien d'autre qu'une plante parasite : les pommiers à Groud en sont crevés de cette saloperie-là). Ils vont à Soissons — sans qu'on puisse les soupçonner de faire un coup publicitaire : à l'époque, Clovis n'étant pas né, Soissons ne rappelait rien aux écoliers — et s'y installent cordonniers-prêcheurs, parce qu'ils étaient suffisamment intelligents pour travailler de leur tête et de leurs mains en même temps — c'est pas moi qui pourrais lire saint François en faisant mon travail de factrice : je me casserais la gueule de mon vélo. Et alors, il commence à y avoir plein de trèfle dans leur négoce : certains auditeurs veulent se faire cordon- niers, d'autres chrétiens ; tout ça leur vaut des ennuis avec les druides et le syndicat de la chaussure. Ils sont condamnés à mort — j'abrège un peu, parce qu'on n'en finirait pas : les vies de saints, c'est encore plus à rebondissements que les feuilletons de la télé, mais ça finit toujours mal (sur le plan terrestre évidemment, parce que pour ce qui est de la deuxième vie, ça s'arrange plutôt). Mais, comme la mort seule, ça ne remplit pas une salle de spectacle et trois heures d'horloge, le commandant en chef des cordonniers et des druides — c'était le même parce que ça existait déjà le cumul de fictions, pardon de fonctions — un certain Rictiovaire décide que pour le même prix ce sera fromage et dessert, c'est-à-dire qu'on chatouillera un peu les condamnés avant de les renvoyer au Père. Pour être original, il décide même de jouer les manucures avec les ustensiles des petits gars : on leur plantera des alènes dans tous les doigts, en manière d'apéritif. Fut dit, fut fait. Mais, de là-haut, la Vierge Marie qui lorgnait la chose est toute bouleversée. Faut comprendre : des trucs plantés dans des mains, ça lui rappelait un mauvais souvenir — elle avertit le Bon Dieu (par voie hiérarchique : en passant par le Fils. C'était déjà comme dans les postes, pour atteindre le ministre, faut passer par le receveur), qui dit à Gabriel et Raphaël qu'au lieu de jouer à la bataille navale comme les fonctionnaires qui s'ennuient, ils feraient mieux d'aller miraculer de ce côté-là. Fut dit, fut fait : les alènes ressortent des doigts et vont tuer les bourreaux. Rictiovaire en avait d'autres, pour passer au plat de résistance : les cordonniers au jus avec une meule au cou. Fut dit, fut fait. Encore un coup pour rien : la meule leur sert de bouée, et ils s'en sortent. On décide alors de les cuire. Pas en brochette comme Jeanne d'Arc, mais dans la friture. On chauffe une grosse marmite, on y plonge les deux condamnés, mais la Vierge intervient encore : l'engin explose (y avait des fissures, exactement comme dans une centrale nucléaire), tuant Rictiovaire et ses comparses, et laissant indemnes Crépin et Crépinien qui étaient pourtant au cœur de l'affaire (c'est là que s'arrête la comparaison avec les centrales nucléaires). Mais il fallait tout de même faire une fin. La Vierge dit qu'ils ont passé avec mention les épreuves de la vie. Bref, ils sont autorisés à mourir vite. On les partage donc en deux sur la terre, d'un côté la tête, de l'autre côté le corps ; et aussi au ciel puisqu'il n'y a que notre esprit à aller là-haut, les bas morceaux de chair restant au sous-sol. Et, depuis, les deux frères protègent les cordonniers et notre village, qui les ont pour saints patrons.

C'est pour ça que tous les Saint-Crépinois et moi sommes aujourd'hui à la grand-messe de leur fête. En chaussons comme le veut la coutume. C'est symbolique, ça veut dire qu'avant l'arrivée en France des deux saints, nous, les Gaulois, nous étions bien mal chaussés pour aller de l'avant, et que, par la révélation du christianisme, nous avons trouvé chaussure à notre pied. Le grand moment de la messe, c'est juste après le prêche de l'abbé, quand le cordonnier s'avance pour lui remettre la paire de chaussures que le village lui offre chaque année. Dans le temps jadis, la quête était faite au 15 août, le tout versé au bouif, qui avait donc ses deux mois bien tassés pour découper et coudre ces godasses traditionnelles dans les meilleurs cuirs. Maintenant, avec l'industriel, le curé met la quête dans sa poche, s'achète à Merey les pompes qui lui conviennent, les remet au père Bajju qui est notre cordonnier en retraite, et les récupère, des mains dudit Bajju, à cette grand-messe. Tout le monde applaudit, le curé met les souliers neufs et nous nos vieux qu'on a apportés dans nos sacs, et c'est la communion finale. Enfin... communion... entendons-nous : si nous nous permettons d'applaudir, c'est que les hosties saintes sont restées dans le placard de la sacristie parce qu'elles ne tolèrent pas le bruit plus que la crème pâtissière ne supporte l'orage ; et ce qu'on prend alors des mains du curé, chacun à notre tour devant l'autel, c'est un chausson aux pommes bénit. Alors, cette messe-là, c'est comme celle du 15 août, personne ne la rate.

Et nous sommes moins pressés de rentrer chez nous déjeuner, vu le petit en-cas du chausson, qui glisse mieux dans l'estomac que l'habituelle hostie collée au palais. Les gosses surtout sont ravis puisque, par tradition et accord entre le maire et Mlle Blanbouillon, ils sont dispensés d'école ce jour-là. Pour la poste, c'est plus compliqué, M. Plantu n'ayant jamais réussi à convaincre le député d'obtenir du ministre qu'il y ait relâche pour cette occasion. M. Bléfour n'a même pas essayé ça, lui, sous prétexte qu'il ne va pas à la messe. Alors, il est à son poste à la poste, avec Fernande et Mlle Phrasie qui n'ont même pas le droit de se relayer, comme du temps de M. Plantu, pour aller chercher leur chausson aux pommes au moment de la communion. « Il faut comprendre, Mesdemoiselles, qu'il leur a dit, si vous aviez un accident sur le trajet, je ne pourrais pas vous couvrir. » Mlle Phrasie a bien insisté un peu : « Il n'y a que deux cents mètres, Monsieur, nous ferons attention en traversant la rue », mais Fernande a baissé le nez sur ses tampons, parce que, à l'idée d'être couverte par le receveur, elle pensait à bien autre chose qu'à une déclaration d'accident. Je me demande si, de temps en temps, elle n'a pas les mêmes divertissements que moi dans le bibliobus... Moi, avec mes tournées, je suis pas contrôlable, alors, sans rien demander à M. Bléfour, j' fais comme du temps de M. Plantu : je distribue les lettres à la fin de la messe. J'ai choisi une chaise en bout de rang, et, à mesure que la file me passe devant, je donne. D'une main ils ont le chausson, de l'autre les nouvelles du fiancé ou de la cousine, le relevé bancaire, ou la feuille d'impôts. Comme ça, après, dans mon sac, j'ai la place pour mettre les chaussons que j'ai pris pour mon chef et mes collègues... Mais l'humeur est bien sombre dans la poste, parce qu'à la suite de ce refus prononcé il y a deux jours par M. Bléfour, mes collègues ont décidé qu'aujourd'hui elles travaille-raient en chaussons, en l'honneur de saint Crépin. Comme, derrière les guichets, leur manière de protes-tation n'est pas bien visible, Maurice Ramot, qui ne perd pas une occasion de faire de la politique, fait le pied de grue devant la poste avec une banderole (« comité de soutien aux postières crépinistes »), et une pétition qu'il demande aux passants de signer. Fernande est au comble de la gêne, car c'est bien innocemment qu'elle avait parlé de ça à Maurice, qui est son cousin ; et si elles s'étaient concertées pour ne pas se chausser de la journée, elles n'avaient pas prévu que leur affaire fasse du bruit au-delà de l'espace clos du bureau. Je crois même que c'était surtout une tentative désespérée pour forcer l'atten-tion de notre chef à leur égard. M. Bléfour est tout blanc, et refuse catégoriquement d'accepter mon chausson. Je crois de toute façon qu'il ne serait pas allé plus loin que la pomme d'Adam, qui monte et descend sans arrêt dans son cou. Quoique, entre pommes... Mes collègues ont un tout petit merci timide qui m'encourage pas à m'attarder. Je rentre donc chez moi, ayant offert au passage le chausson du receveur à Maurice. Il voulait absolument que je signe sa pétition, mais j'ai pas osé, parce que je n'ai jamais fait ça et parce qu'il n'y avait aucune signature sous la sienne. Il dit que nous sommes tous des dégonflés. C'est surtout lui qui est gonflé : un païen communiste qui pétitionne pour que deux chrétiennes aillent à la messe, faut le faire. Comme quoi il n'y a jamais besoin d'aller loin de son village pour voir des choses étonnantes. Je vais en avoir des trucs à raconter à Germaine quand elle reviendra...

Où est-elle en ce moment ? A déjeuner au restaurant avec Jean-Marie ?... Je vais essayer un truc : penser assez fort à eux pour qu'au même moment ils pensent que je pense à eux. La télé-patie ça s'appelle, sans que ça ait de rapport avec la télévision ; parce que ceux qui sont dans le poste ne peuvent penser à nous quand nous pensons à eux : ils ne savent pas que nous existons. Faudrait pas croire que c'est nous qu'ils regardent de leurs yeux tellement expressifs au moment du journal : c'est seulement la pupille glauque de la caméra. Comme quoi une machine fait parfois plus d'effet qu'un être vivant. Donc Germaine est au restaurant avec Jean-Marie. Pas un grand truc froid et luxueux, avec plein de serveurs qui gênent l'intimité, seulement un petit endroit où on mange vite le plat du jour. Enfin... eux, ils ne mangeraient pas vite, parce qu'ils ne sont pas pressés : un écrivain, ça ne connaît sûrement pas la pointeuse ; ce serait les autres qui seraient pressés, sans trouver le temps d'admirer Germaine (et pourtant ce jour-là elle est bien belle avec ses cheveux juste teints, ses ongles vernis et sa joie du triomphe), tous le nez dans leurs lectures. Il paraît pourtant que c'est mauvais de lire en mangeant. Mais ça fait partie de la vie des Parisiens. Je les vois un peu comme de grands malades nerveux, qu'on a regroupés dans une même ville, pour éviter qu'ils ne contaminent tout le pays. Font toujours deux choses à la fois. Exemple : sont vivants (ils mangent) et morts (ne savent pas ce qu'ils mangent). Certains s'échappent parfois à la campagne dans l'espoir de guérir, mais en vain, cette maladie-là étant comme un cancer avancé. Identifiables de deux façons : dans leur ville-asile, ils ont un journal là où on s'attend à leur voir une tête. Ailleurs : jouent aux cow-boys avec leurs voitures et crient aux Indiens qui sont sur leurs vélos : vadoncéplouc... Mes tourtereaux déjeunent, sur des petites nappes à carreaux, dans un endroit discret qui s'appelle « le troquet » ou « le bistrot » ou quelque chose qui fait simple comme ça. Jean-Marie parle, parle, parle, de ses bouquins évidemment, et Germaine l'écoute sans l'interrompre, jusqu'au moment où pan ! ma pensée lui arrive en plein front : « Tiens, qu'elle dit à Jean-Marie, Madeleine pense à nous en ce moment, l'entends-tu ? » Mais lui, avec toute sa cire littéraire dans les oreilles, il est comme sourd : il ne perçoit plus les battements de cœur. Sauf celui de Germaine, bien sûr. Et encore : à ce moment-là, il est distrait par sa bouche, dont la sauce du déjeuner a rendu le maquillage plus brillant, mais d'un contour plus flou, avec comme des petits ruisseaux échappés de ce beau fleuve rouge. Et il pense à l'embrasser en voyant ça et l'empreinte des lèvres sur le bord du verre à vin. Exactement comme dans les films de Dracula. Et il ne l'écoute pas ajouter : « C'est grâce à elle que ze t'ai retrouvé : elle m'avait donné un fer à cheval pour me porter bonheur. »

Toussaint, la journée de l'année que je préfère. N'ayant aucun défunt intime, hormis Virgile, je suis, ce jour-là, moins triste que tout le monde, c'est un premier avantage. Le deuxième, c'est que les gens, contrairement aux dimanches ordinaires, ne restent pas bouclés chez eux en famille ou devant leur télé, mais vont tous au cimetière — même les hommes puisqu'il n'y a pas de football — où je peux les rencontrer. Et puis je ne suis pas désœuvrée comme les autres jours fériés, parce que j'ai une tournée des tombes plus longue que n'en ont les familles nombreuses. J'ai en effet l'habitude, depuis quatre ou cinq ans, de mettre des fleurs et de dire une prière pour les morts abandonnés de Saint-Crépin, ceux qui n'ont plus de survivants pour les honorer, ceux dont la parenté a déménagé et ceux, simplement, qu'on a cessé d'aimer, ou, plutôt, qu'on a toujours détestés parce que s'il ne s'agissait que d'oubli au fil des années, on aurait quand même un sursaut de dignité ce jour-là.

D'ailleurs, on peut difficilement passer à côté de cette date : les marchands de chrysanthèmes sont partout, s'étalant sur les trottoirs de leurs boutiques, aux sorties des églises, aux entrées des cimetières ; si vraiment on ne fait pas visite aux défunts, c'est bien un défi, soit qu'on crache sur le mort, soit qu'on crache sur le voisin en voulant se distinguer de lui. Peu importent en vérité les pourquoi et les comment, je ne fais pas de distinctions : je visite tous les orphelins, ceux dont la dalle se fend ou s'effrite, dont la croix s'incline ou s'écroule, que les fleurs et les racines d'arbres malmènent de leur végétation inexorable, ceux qui n'ont plus que des roses de céramique ébréchée ou des bouquets de plastique délavé ; ceux qui sont nus, et dont le nom, même, commence à s'effacer, toutes dorures passées au soleil ou mangées de mousse. Je leur pose trois fleurs sur le ventre, dans d'anciens pots de nescafé, que je garde à cet usage, je fais la toilette de leur pierre, y balayant la poussière, arrachant quelques herbes indiscrètes. Et, surtout, je leur parle, pour le cas où ils seraient encore là-dessous à espérer les visiteurs qui ne viennent pas ou la résurrection qui tarde. A celui-ci, je donne des nouvelles de son fils fâché, à cet autre, j'apprends ses deuils récents, à un troisième qui appréciait la plaisanterie, je raconte une blague ; pour celui-là, qui fut un cochon sa vie durant, j'attire un jupon dans l'allée, parce que, couché comme il est, trois mètres au-dessous, il doit pouvoir regarder les cuisses de la donzelle ; aux petits-enfants morts en bas âge, je chante des berceuses pour qu'ils dorment tranquilles jusqu'au moment où ils deviendront, comme disent les inscriptions, « des anges au ciel » ; à l'étranger, je cause de son pays lointain. Et, au bon Dieu, je rappelle qu'Il ne doit négliger personne. Les humains, parfois, ont autre chose à faire que d'être fidèles ; c'est si court une vie : si on se laisse envahir par les morts, on n'a guère le temps d'en profiter. Mon Dieu, pardonnez aux vivants l'oubli des morts. Vous avez, là-haut, sur votre matelas de nuages, toute l'éternité pour nous contempler et nous aimer, nous aider à ouvrir le cadeau empoisonné que vous nous avez fait : le papier qui l'enveloppe, le rêve qui l'imagine est toujours plus beau que ce qui se love au cœur. On met toute sa vie à dénouer les ficelles — il y a même des pressés qui les coupent et des maladroits qui les mêlent —, à déplier la feuille — que d'aucuns jettent sans un regard quand d'autres en font des reliques. Et quand, enfin, on peut soulever le couvercle, il ne reste plus entre nos mains anxieuses et ravies que la mort qui danse au fond du carton.

A Virgile aussi, je mets des fleurs. Le plus beau bouquet. Il est couché sous le figuier, afin que je le voie de ma fenêtre et qu'il ait de l'ombre aux heures chaudes. Je l'avais enfermé dans le carton de mes chaussures de mariée avec une poignée de roses, mon chapelet de communiante et le dernier cadavre de mulot qu'il avait déposé à ma porte. Quand il a été au fond du trou, j'ai jeté quelques gouttes de l'eau bénite volée à l'église, et j'ai rebouché très vite. J'ai décoré la motte avec des coquillages que Germaine m'avait rapportés de la mer, il y a longtemps.

Cette année, j'ai poussé ma tournée jusqu'au cimetière de Merey, afin de fleurir aussi la mère de Germaine, encore absente pour trois jours.

Paris

Jeudi

Ma chère Madeleine,

J'ai enfin vu Jean-Marie avant-hier, et je viens te raconter, non tant que ç'ait été merveilleux, mais je sais que, de mon voyage ici, c'est ce qui t'intéresse le plus.

En ayant assez de ne pouvoir le joindre par téléphone, j'ai débarqué chez lui, sans tambour ni trompette, vers 21 heures. On peut dire que je suis mal tombée. Il n'était pas seul, mais avec quatre ou cinq types, écrivains comme lui à ce que j'ai compris, et avec lesquels il crée une revue. Alors, mon « coucou ! » quand il a ouvert la porte et que je lui ai sauté au visage, ça n'était pas une réussite : il est devenu très pâle, il y a eu un éclat de rires puis un silence total des autres dans la pièce voisine ; j'ai bien cru qu'il ne me ferait pas entrer. Il s'est décidé tout de même, m'a présentée à ses potes en bafouillant un peu, au milieu du brouillard de leurs pipes et cigarettes et du désordre de leurs papelards, puis ils ont continué à parler de leurs petites affaires, sans plus s'occuper de moi. Je me suis réfugiée dans la chambre de Jean-Marie parce que j'ai compris que je les gênais. Les écrivains ont la pudeur à de curieux endroits. Quand la réunion a été terminée, Jean-Marie s'est excusé, a été très gentil cette nuit-là et encore le lendemain, mais je sens bien que rien n'est plus pareil que l'été passé. Je crois que je cadre mal dans son Paris et ses cénacles de mangeurs d'encre.

Ça va toujours bien avec Arlette, Thomas et Sarah (dont j'ai pris des photos pour toi).

Je rentre dimanche, par le train de l'après-midi.

J'espère te trouver en gare de Mouchard, avec Carlotta. Vous me manquez.

A bientôt

GERMAINE

J'ai lu cette lettre à la défunte : ne l'ayant pas connue, je ne savais quoi lui raconter. Elle ne me parlera plus de Jean-Marie, Germaine : elle scelle tout dans son cœur. Elle est remplie de portes murées, qui donnent sur des pièces que je ne connais pas. Même la porte Jean-Marie, la plus récente, j'en sais pas grand-chose. Tout ce que m'en a dit Germaine, ce fut par hasard. Et lui ne m'a jamais rien confié de Germaine. Pourtant, j'aurais aimé qu'ils me fassent des confidences l'un et l'autre, l'un sur l'autre. Je n'aurais rien répété, et j'aurais pu, un peu, avoir leur fièvre. C'est Paris qui a tout ramené à 37°... et aussi la littérature. Je déteste les livres. Pourquoi ne sait-elle pas écrire aussi, Germaine ? Supposons : Jean-Marie l'oublie parce qu'il préfère s'occuper de son stylo. Les années passent, et, un jour, il est en panne d'encre. Il descend de son infâme gourbi jamais aéré (les écrivains, ça n'ouvre pas les fenêtres, de crainte que leurs idées ne s'envolent par là) pour allez chez son copain le libraire du coin (le seul qui met ses livres en évidence), pour racheter des cartouches. Comme il ne veut pas perdre une minute — c'est court la vie, surtout quand on veut mener deux ou trois vies à la fois — en même temps qu'il se hâte, il réfléchit à ses petits problèmes de plume, et, trop concentré pour être vigilant, il dérape sur une merde de chien et s'affale juste contre la vitrine du copain. Et le copain rigole si fort qu'il en fait lever le nez à Jean-Marie, de dessus ses pompes enduites. Jean-Marie s'apprête à rire aussi, du tour que lui a joué sa distraction — mais ça porte bonheur — et son regard tombe sur un énorme bouquin dans la vitrine : *Souvenirs tristes d'une fille de joie,* par Germaine Michel. « Merde, qu'il dit Jean-Marie, je l'ai connue cette pisse-copie-là ! Si j'avais su... » Trop tard, Jean-Marie, Germaine est à l'Académie, et toi tu es en rade d'éditeur... Alors, il écrit à Germaine pour solliciter son appui et son pardon. Et comme Germaine l'aime toujours, elle lui pardonne et lui donne le piston pour le manuscrit qu'il avait porté en vain de maison d'édition en maison d'édition. Elle lui écrit même une préface — non une postface, pour ne pas décourager sa clientèle, qui n'est pas la même que la sienne. Ils se marient, sont heureux, et font beaucoup de petits écrivains...

... Avec tout ça, la nuit est tombée. Elle vient vite en automne. Ce n'est pas chaud aux fesses les pierres tombales. Faites excuse, Madame, mais je dois retourner à Saint-Crépin...

L'automne, soudain, a suspendu sa durable clémence, le froid est vif, le ciel plombé à ce réveil où les oiseaux sont restés muets. Tel un Poucet ailé, une mésange est venue poser l'éclair bleu et jaune de son duvet sur le rebord de ma fenêtre pour annoncer que l'hiver, de ses bottes de sept lieues, approchait. Arsène, l'escargot que je nourrissais de salade depuis des semaines, est resté boulé dans sa coquille, et la trace brillante de ses cheminements d'hier a été bue par le vent d'est qui fait gémir le coq de l'église et la girouette de Mlle Blanche. Les enfants, sur la route de l'école, ne semblent plus avoir que des yeux, entre leurs bonnets enfoncés sur les oreilles et les cache-nez faisant trois fois le tour de leur visage. La mare des Groud est gelée, pour la première fois de la saison, et les dernières feuilles des vignes y patinent de leurs cadavres ratatinés. De toutes les étables, les bêtes qu'on n'a pas sorties de la journée ont beuglé d'ennui. Alors j'ai semé mon refrain météorologique en faisant ma tournée :

« Sont pas chaudes, Mado, les lettres que tu nous portes à cette heure.

— Le froid est arrivé...

— C'est un temps de saison...

— L'hiver est là...

— L'automne est fini...

— Vivement le printemps... »

Etc. Etc. Il y a des jours où on ferait des économies de salive que ça ne serait pas plus mal. Mais c'est difficile d'être original sur un tel sujet. Et puis, je n'étais pas de très bonne humeur. Germaine est rentrée, avec une noire tristesse à ses pas, elle m'a repris Carlotta, à laquelle je m'étais bien habituée tout ce mois, et j'avais la migraine.

Même la proposition de l'abbé ne m'a pas déridée. Et pourtant, pour achever de nous rabibocher, lui et moi, il pouvait pas trouver plus flatteur. Depuis la dernière kermesse, il a un goût prononcé pour la mise en scène, si bien qu'il a un projet, pour le Noël prochain, d'une crèche vivante, en remplacement de l'habituelle de carton-pâte, papier-rocher, botte de paille et statues de plâtre ébréchées. En fait, il gardera tout de même la poupée qui représente l'enfant Jésus, de crainte qu'un vrai nourrisson n'attrape la crève dans l'église. C'est même parce que l'église n'est pas chauffée qu'il lui faut une Vierge et un charpentier de santés robustes. Question : qui, ici, a le plus l'habitude des courants d'air ? Réponse : Philomène et Mado. Je serai donc Marie, et lui Joseph. L'âne, le bœuf et les moutons des bergers seront remplacés par le troupeau de chèvres. Secret absolu entre nous trois. C'est moi qui suis chargée d'obtenir l'accord de Philomène. On bouclera Médor chez moi pendant la messe de minuit, afin qu'il ne hurle pas à la mort au moment de *Minuit chrétiens* et n'urine pas sur les piliers de l'église, les confondant avec les poteaux du téléphone (qu'il a l'habitude d'arroser dans le chemin du député). Comme robe, j'aurai un drap blanc entortillé autour de moi comme l'était le rideau autour de Perduvent le 15 août, et un ancien dessus de lit de la défunte sœur de l'abbé sera mon voile bleu. A Philomène, nous taillerons un habit rustique dans des sacs à pommes de terre. J'ai proposé au curé de plutôt choisir Germaine pour représenter la Vierge Marie, parce qu'elle est belle et blonde comme le modèle, mais il a répondu que la vente des esquimaux de la kermesse lui avait trop servi de leçon pour qu'il s'acoquine encore avec elle. « Même en admettant que Mme Tatin ne vienne pas à la messe ce soir-là », a-t-il ajouté. De toute façon, il n'y a rien à regretter : Germaine, à laquelle je viens de raconter la chose, n'aurait pas accepté de tenir le rôle : « Ze ne crois plus en Dieu, alors... Avant d'aller à Paris, z'avais encore un petit doute, mais maintenant, c'est bien clair : le ciel est vide. » Elle précise qu'elle a vu trop de choses laides là-bas, mais moi je crois surtout qu'elle n'a pas assez vu Jean-Marie. Et qu'elle ne le verra plus :

« Même s'il revient en vacances à Saint-Crépin l'été prochain, ze n'y serai pas.

— Bien sûr, puisque nous serons en Italie.

— Non.

— Comment : non ?

— Nous n'allons plus en Italie. Z'ai mis les cours d'italien à la poubelle. »

Je n'insiste pas... Mais, tout de même : je suis un peu déçue. J'en avais rêvé, moi, de ce pays, avec le livre du bibliobus et ma série de calendriers : il y en avait un avec Venise, que j'avais gardé pour Germaine. Mais je ne crois pas que le moment soit bien choisi pour le lui offrir. Il était beau, pourtant, d'un côté la place Saint-Marc, rose et blanche, noyée de pigeons, et, de l'autre, le pont des Soupirs, avec une gondole dessous. Alors, évidemment, je m'étais imaginée dans l'embarcation, avec ma copine, et un très beau gondolier qui aurait soupiré pour nous. Il nous aurait gondolées sur tous les canaux, entre les palais peuplés de fantômes et de chats ronds comme des outres pleines. Parce qu'il paraît que c'est le paradis des chats, Venise : pas une voiture n'y peut entrer les écraser... Jean-Marie, quel salaud tout de même, me priver ainsi... Parce que, d'accord : je ne parle pas italien ; mais je parle chat, alors, avec tous ces matous, qu'est-ce que je me serais taillé comme bavettes. Faute de comprendre le gondolier. Et je leur aurais gardé toute la viande de l'intérieur de mes raviolis. Et les pigeons se seraient posés sur mes épaules, parce qu'ils sont très familiers avec les touristes. Ça nous en aurait fait des souvenirs, à Germaine et moi. Et des photos : elle avec le gondolier, moi avec mon bestiaire. Nous aurions fait plus d'un envieux à Saint-Crépin. J'avais déjà acheté l'appareil photo, en l'absence de Germaine, pour lui faire la surprise, et tiré le portrait à Carlotta, pour m'entraîner.

Enfin, c'est la vie... Faute de gondole, nous pouvons toujours nous offrir un tour de chenilles, à la foire annuelle de Merey, qui débute aujourd'hui.

« Allez, viens, Germaine. Ça ne sert à rien que tu écoutes toujours ce disque de Mouloudji. Bien sûr que faut vivre et c'est pas toujours moche... »

Ce soir, par exemple, même s'il fait froid, il y a les

marrons grillés pour nous brûler un peu les doigts et nous emplir les narines de leur parfum d'hiver, avec l'odeur de poudre des baraques de tir ; les pommes d'amour, acides du fruit cru à l'intérieur et sucrées du caramel rouge craquant tout autour ; les nougats tendres et les cochons de pain d'épice, les guimauves couleurs de pastels, qui fondent sous la dent, et les berlingots qui s'étirent en spirales fumantes avant de se solidifier en petits blocs irréguliers, translucides, prenant au piège de leurs bulles les lumières de cette fête rutilante et criarde. Viens, Germaine, à la loterie, essayer de gagner le gros ours pelucheux à bercer nos nuits solitaires, ou la poupée à l'extravagante robe démesurée, toute de satinette mauve et de dentelle blanche. Et le manège de chevaux de bois, avec la musique aigrelette de son orgue de Barbarie. Regarde, Germaine : c'est le carrosse de Cendrillon, à minuit tu auras un prince et je redeviendrai citrouille... Mais qu'est-ce que tu as à te frotter l'œil ? Une poussière, tu es certaine ? Fais voir. Je ferai doucement, pour te la sortir avec ton mouchoir... Là, ça va mieux ?... Le grand huit ?... Tu crois que j'aurais pas peur ?... C'est que j'ai déjà le cœur en marmelade d'avoir été à l'envers dans les soucoupes volantes... D'accord pour te faire plaisir, je t'accompagne, mais je monterai derrière toi, et je fermerai les yeux dans les descentes qui font ce bruit d'enfer, de trains qui déraillent... Regarde l'étoile du berger comme elle brille bien avant les autres... Maman, au secours, je vais mourir là-dedans !... Ah ! dis donc j'ai bien cru que nous tombions. Mais c'était beau là-haut, loin des hommes, près des nuages cotonneux courant si vite dans la bise... Tu vas vomir? Tu crois?... Viens par là, dans la ruelle sombre, les caniveaux y sont discrets... Je t'attends sous le porche, qui me coupe le vent. De là, je vois même une scène de famille, par une fenêtre éclairée... Finalement, j'aime bien les saisons où la nuit vient vite. Les couchers de soleil qui durent, qui mettent des incendies dans le ciel et exaltent les parfums d'herbe chaude, ça me donne le cafard : c'est fait pour les amoureux. Je préfère l'obscurité qui vient comme un couperet et fait vite allumer les lampes dans les maisons. Alors, moi, cachée dans le noir des rues, je regarde vivre les autres, à travers les rideaux, jusqu'à ce que leurs volets se rabattent sur leurs carrés de lumière, faisant aboyer les chiens de leurs claquements secs. Parce que l'hiver, tous les bruits ressemblent à des gifles.

Ça y est, ça va mieux?... Qu'est-ce que tu veux essayer comme manège, maintenant? Tu veux rentrer? Mais il est encore tôt... Allez viens dans le palais des glaces, j'y suis jamais entrée. Tu me donnes la main, parce que j'ai un peu peur de te perdre, de te confondre avec ton reflet multiplié, et de me cogner aux portes invisibles... On dirait qu'il y a une foule là-dedans, et ce n'est que notre image répétée à l'infini... Bien sûr que tu es pâle, c'est ce néon sur le verre... Ce n'est pas du verre, mais du plastique, tu crois?... Alors, nous pourrions brûler vives si traînait un mégot mal éteint? C'est malin de me dire ça : maintenant, j'ai vraiment peur. Ne lâche pas mes doigts surtout. Je ne saurais pas sortir sans toi. D'abord, je ne sais rien faire sans toi, jamais. Parce que la vie c'est comme ce labyrinthe, je me cogne partout... Dis, Germaine, tu me quitteras jamais ?... Tu es certaine ?... Même s'il y a un autre Jean-Marie, une nouvelle Arlette ?... On dit ça, sur le coup... Mais, chaque année, on recommence les bêtises de l'année d'avant... Le temps pâlit tellement tout... La sortie, ça y est, nous y sommes... C'est curieux comme le temps a changé : le vent est tombé pendant que nous étions derrière le miroir. Et la première neige, mon lapin blanc, met à tes cheveux ses guirlandes de flocons...

Extrait du journal de Jean-Marie Zerlini

5 juin 19...

J'ai reçu, il y a quelques mois, un singulier manuscrit. Je préparais alors, avec quelques amis — ce n'est plus aujourd'hui un secret — la sortie d'une nouvelle revue de littérature. Nous intéressaient particulièrement de publier certains écrits qui, pour des raisons qu'il ne m'appartient pas en ce lieu d'élucider, rencontraient, en dépit de leurs qualités, maintes difficultés à être reçus favorablement par les maisons d'édition. Le paquet qui me parvint précédait en quelque manière l'offre que nous comptions faire. Me fiant, toutefois, à l'efficacité du ouï-dire, je ne doutai pas que notre projet, éventé par quelque indiscrétion, n'eût déjà atteint certains écrivains en panne d'éditeur. Ce premier manuscrit — qu'aurait pu être d'autre ce souple parallélépipède de format machine ? — je l'accueillis donc avec plaisir et le mis de côté — refrénant mon impatience — pour le lire à mon aise. Le moment venu, je m'installai stylo en main, disposé à appliquer ce solide principe qu'il n'est de bonne lecture qui ne s'écrive, me réservant, ce travail effectué, de le faire circuler parmi mes amis, augmenté de mon commentaire. J'ouvris donc.

Première surprise : le manuscrit était un manuscrit. Je veux dire que l'auteur avait été assez cavalier pour ne pas se donner le mal d'une dactylographie. Le goût que nous avons, nous autres écrivains, pour la trace même de l'écriture en la singularité de ses boucles, de ses jambages et de ses accidents, m'aurait fait passer sur cette légèreté — d'autant que la graphie était des plus déchiffrables — s'il n'y avait eu les aberrations d'une prose que ma lecture délivrait : je me trouvai, dès les premières pages, confronté à une invraisemblable succession de poncifs. Il s'agissait bien d'un roman encore que — comme je m'en aperçus par la suite, l'intrigue en fût fort lâche. Mais il s'agissait surtout d'une douteuse refonte, par hybridation, de *Clochemerle* et de *Don Camillo*. Et je me demandai avec indignation comment il pouvait bien se faire que semblable morceau académique — j'avoue qu'il m'arrachait de temps à autre un rire honteux — se soit échoué sur ma table. Je crus à une erreur ; hélas, l'enveloppe était implacable d'exactitude. Le nom de l'auteur — une femme apparemment s'il fallait en croire le prénom — m'était inconnu ; non moins le lieu d'expédition. Ce fut la nécessité de trouver une explication à cet envoi incongru qui me fit poursu vre ma lecture et la guida. L'apparition en toutes lettres de mon nom véritable — j'écris couramment sous pseudonyme — au milieu de ce fatras prétendument humoristique, si elle détruisait définitivement l'hypothèse d'une erreur, n'éclaircissait nullement l'affaire. Je me fis alors la remarque que contrairement à l'usage en pareil cas, l'envoi du manuscrit n'avait pas été accompagné de l'obligée missive au destinataire où l'auteur lui rend, comme à son suzerain, certain hommage et s'explique sur ses intentions, tâchant même de désamorcer par diverses ruses les éventuelles critiques. Manquait donc ce document flatteur comme si l'auteur avait eu quelque chose à cacher. Il était clair que dans ce cas semblable absence était calculée. Ma seconde hypothèse fut donc qu'il s'agissait d'une farce. Toutefois, la confection de 150 pages serrées et le travail — même à écrire au fil de la plume — que cela implique, pour rire un peu à mes dépens en faisant de moi un portrait charge, me parut une activité quelque peu disproportionnée à l'effet comique escompté. Et j'imaginai mal l'un quelconque de mes amis consacrer un mois ou deux à rédiger cette plaisanterie. J'étais loin par ailleurs d'être le personnage essentiel du roman. Le caractère familier de certains détails m'orienta vers une troisième hypothèse qui s'avéra être la bonne.

Le mot cliché, on le sait, a deux acceptions possibles. Il est pour nous ce lieu commun littéraire, ce que j'avais appelé le poncif et qui m'avait d'abord si scandalisé dans les premiers temps de ma lecture. Or, au fur et à mesure que celle-ci avançait, la seconde acception tendait à prendre le pas : comme je l'ai dit plus haut, il me semblait ici ou là, me reconnaître un brin dans les pénibles anecdotes que je déchiffrai de plus en plus nerveusement espérant y trouver enfin la raison de cette expédition saugrenue. Ainsi de celui à qui l'on tend des photographies prises sous un angle inhabituel d'un lieu qu'il a cessé de fréquenter déjà depuis quelque temps : il connaît et il ne reconnaît pas. Cette impression générale qui procède en fait, littérairement, d'un travail précis sur les lieux communs qu'on nous retourne comme un autoportrait détestable — je songe ici aux tropismes de Nathalie Sarraute — se trouvait redoublée, dans le cas qui nous occupe, d'épisodes point trop anciens de ma vie où je m'étais conduit moi-même selon semblables clichés sociaux — ivrogne chargeant l'ivresse par exemple, allégorie d'ivrogne en quelque sorte — et que je retrouvai à peine transposés dans le roman qu'on me retournait comme un chapitre de ma vie que quelque part on me refusait, sans possibilité de ratures de ma part. Je savais à présent qui était l'auteur des « Chroniques de Saint-Crépin-sur-Loue ».

Le lecteur voudra bien pardonner — l'objet ici l'impose — certaine digression biographique. Deux ans auparavant, me rendant à un colloque en Normandie et me trouvant en avance, je formai le projet de m'arrêter dans un bourg de campagne pour, loin du tapage estival, mettre au point ma communication. J'arrivai à B. pour l'heure du déjeuner et sans autre objectif qu'un bon repas. Descendu au seul hôtel-restaurant du lieu, j'apaisai ma faim, servi par une aimable jeune femme. La félicitant pour une délicieuse charlotte au chocolat que je venais de consommer, je me laissai aller, le vin aidant, aux quelques divagations que le nom de ce dessert m'inspirait. Comme beaucoup d'autres écrivains j'avais été fasciné par le personnage de Charlotte Corday et par le couple éphémère qu'elle avait formé avec sa victime. Hélène (c'était le prénom de la serveuse), au lieu de l'indifférence polie que j'attendais, me répondit avec chaleur. Venant à Paris assassiner l'ami du peuple Charlotte Corday s'était arrêtée dans l'hôtellerie même qui m'accueillait. Et nul doute qu'une promenade pré-romantique n'ait conduit la girondine de Caen, au crépuscule, dans les ruines de l'abbaye de B. qui domine tout le bourg. Son service terminé, Hélène proposa de m'y conduire. Chemin faisant, elle m'apprit qu'elle était étudiante, fille de l'hôtelier et qu'elle venait aider ses parents pendant les congés universitaires. Certaine intimité s'étant vite installée entre nous, je ne doutai pas avoir trouvé le lieu de mon séjour. Je trouvai charmantes les ruines de l'abbaye d'autant que la présence d'Hélène, en rehaussant l'attrait, me rendait indulgent à tout ce que je voyais.

Je restai en fait trois semaines à B., le colloque auquel je me rendais ayant été annulé au dernier moment pour des raisons techniques qui ne m'indisposèrent pas autant que le prétend la narratrice des « Chroniques ». J'y voyais l'occasion de prolonger un séjour agréable et d'échapper à une prestation que je prévoyais difficile. Hélène me surprit par l'étendue de sa culture, son enjouement, son indépendance d'esprit. Le caractère un peu clandestin de notre liaison achevait de me ravir : serveuse déférente au repas, elle venait aussitôt partager l'oisiveté de mes après-midi. Je n'ai au reste jamais su jusqu'à quel point ses parents étaient dupes : en fait je m'en suis fort peu soucié. Notre entente cependant, achoppait régulièrement sur une question qui, pour moi, était loin d'être secondaire : Hélène professait en matière de littérature des opinions désespérément conventionnelles et il n'y avait rien moyen de lui faire entendre sur ce chapitre. Je retrouvai à présent, dans le manuscrit que j'avais sous les yeux, à peine transposés, quelques-uns des épisodes de mon séjour à B. Si je n'avais jamais prêté la moindre attention à la factrice — qui était peut-être bien un facteur — j'avais entretenu quelques relations polies avec le libraire et le bibliothécaire — personnages diversement falots —, j'avais participé à la kermesse du quinze août, sacrifié — sous prétexte ethnologique —

au rituel d'une messe, m'étais copieusement enivré et pour finir lancé dans des délires, là encore communs à bien des littérateurs — il y aurait toute une histoire des lettres à écrire depuis cette perspective —, sur la prostitution. Au terme des trois semaines nous nous étions séparés, Hélène et moi, tendrement mais sans illusions, tant, pour moi, ses inébranlables convictions littéraires étaient rédhibitoires. Et de fait je ne l'avais jamais revue.

Sollicitée, motivée par cette découverte, ma lecture tenta d'y voir plus clair dans cette accumulation de clichés. S'agissait-il d'un livre aussi outrageusement académique qu'il y paraissait ? Ou bien académique par excès, n'était-ce pas une manière particulièrement retorse de frapper d'insignifiance toute tentative analogue mais menée sans la même distance ? Le bon souvenir que j'avais gardé d'Hélène me faisait, à présent, pencher vers cette seconde solution. L'aspect archétypal, l'absence de la plus élémentaire psychologie romanesque me frappaient dorénavant. A y regarder de plus près, je constatai qu'un lien unissait les diverses marionnettes du livre et que ce lien était la littérature. Il est bien rare qu'un livre conventionnel fasse la part aussi belle à des questions de langage ; or à prendre, les uns après les autres, les différents personnages, je ne pouvais les situer que par rapport à ces questions.

A commencer par l'affichage de cette énorme — c'est le mot — invraisemblance, d'une factrice inculte qui écrit en langue parlée : le réalisme conséquent l'aurait fait écrire dans un style indigent de rédaction scolaire. Mais il est vrai qu'une factrice est une personne lettrée, distributrice de nouvelles (petits récits en prose). Or non seulement elle infléchit ou modifie par la rétention ou la hâte les destins des personnages qu'elle honore de ses nouvelles (en quelque manière elle écrit ainsi leur vie, les transformant en êtres de fiction) mais encore elle met en scène diverses figures représentatives, chacune, d'un rapport à la langue ou au livre : c'est le gardien des Humanités qu'elle ridiculise, celui du sacré des textes (le curé) dont elle travestit la Loi par des leçons de catéchisme bouffonnes, c'est l'écrivain et son double (la prostituée) avec lequel, naturellement, il couche, chacun cherchant peut-être à faire sortir l'autre de sa vénalité essentielle, le bibliothécaire, cette façon d'éditeur qu'est un receveur des Postes, c'est enfin par défaut l'analphabète au bord de l'aphasie qui récupère comme les chutes des nouvelles, les ratés, les morceaux sans importance. A cette théorie de figures s'ajoutent, quand elles se croisent, des situations éculées : nous avons dans ce texte des dictées du secondaire avec sentiment de la nature, des scènes de vaudeville, des paragraphes pleurnichards, toutes les variétés du comique de mœurs, le tout implacablement attendu, prévu, programmé, déjà écrit, je dirai : menaçant. C'est le moment où de *Clochemerle* on pourrait glisser, pour peu que l'auteur force encore un peu la note — c'est là que pour plus tard nous l'attendons — à *Bouvard et Pécuchet*. Je me flattais donc que ma critique obstinée des convictions littéraires d'Hélène n'avait pas été sans produire, peut-être malgré elle, une sorte d'obscur malaise. C'est ce malaise qui avait fait d'une banale critique de mœurs un répertoire des personnages et des situations reçues, un catalogue des truismes littéraires. N'est-ce pas une belle allégorie de la subversion que cette énorme Lettrée faisant basculer le Prêtre dans... Courteline? Vous-même cependant, m'objectera-t-on, n'y êtes pas épargné? Rien pourtant qui me choque dans cette pochade. J'y suis un homme comme les autres : aimant, mangeant, m'enivrant; ingrat, oublieux, gentil; voilà qui remet en place, il faut toujours revenir à Bergotte, les conceptions de l'inspiré. On peut voir que je travaille beaucoup : plus souvent que ma voix, on entend le crépitement de ma machine à écrire. Enfin, pas plus que les autres écrivains — même les plus traditionnels — je ne suis sauf de tics d'écriture. Ces tics, bien sûr, sont d'une essence différente, mais l'académisme peut aussi pointer au détour d'un involontaire pastiche de Mallarmé. Salutaire leçon! Tel est le sens de l'insertion malicieuse dans le roman du début d'un de mes livres : s'y manifeste toute la fausse innocence de l'auteur, ce caractère retors dont j'ai déjà parlé, fourbe d'une fourberie qui fait pour moi tout le prix de ce livre. On trouve en effet dans cet extrait la phrase suivante : « Nul bonheur d'expression en ses valses ouvertes. » qu'il faut lire : « Nul bonheur d'expression en ses valves ouvertes. » Cela, dans le vocabulaire de l'imprimerie, s'appelle une coquille. Voilà donc, subtile mise en abîme, une coquille dans une coquille. L'expression, cela est certain, n'est pas heureuse ici ! Ce détail marque l'ensemble d'une fausseté curieuse : le texte nous apparaît comme le masque craquelé, hideux, bouffi, de notre littérature qui se tourne vers nous une dernière fois.

Je reçus cette lettre peu après :

Cher Jean-Marie,

Vous souvenez-vous encore de cette bâtarde — mi-campagnarde, mi-citadine — que vous honorâtes quelque temps de votre compagnie ? Oui, sans doute, car, à l'heure qu'il est, vous avez lu son manuscrit.

Vous y mettant quelque peu à mal, il m'a paru de la plus élémentaire politesse, avant de le publier (ce qui ne dépend plus que de vous) de vous en demander l'autorisation. Je me flatte — les noms y étant assez travestis et vous-même écrivant sous pseudonyme — connaissant votre humour touchant la littérature, que vous me l'accorderez (aïe ! voilà qui ne va pas arranger mes affaires...)

Et puisque je dois venir à Paris voir mon éditeur, nous pourrions peut-être en profiter pour nous rencontrer ? En toute amitié bien entendu (je suis mariée depuis six mois).

J'attends, avec l'impatience que vous imaginez, votre réponse, et vous embrasse.

HÉLÈNE

P.-S. Des recherches que j'ai pour ma curiosité personnelle entreprises récemment m'ont appris, hélas, que si la diligence pour Paris passait bien par B., Charlotte a fait le voyage d'une traite, courtisée par un de ses compagnons de voyage, et ne s'y est donc pas arrêtée.

Doublement navré — par la dernière parenthèse et le post-scriptum — j'ai néanmoins tout accepté.

Achevé d'imprimer le 19 août 1980
sur presses Cameron
à Saint-Amand (Cher)

ISBN 2-7158-0266-8
HSC 80-8-67-0697-2

N° d'impression : 1492-631.
Dépôt légal : 3e trimestre 1980

Imprimé en France